D1467726

만화로 만나는 성경 속 인물

A comic book that introduces Biblical characters

King David II

글구성 · 그림 은 부 밀

추천사
(Recommendation)

반병섭(시인, 원로목사)
Byung Sub Van-Poet and Senior Pastor

약력

1924년 중국 왕청 출생
한국신학대학, 일본 동지사대학원
샌프란시스코 신학대학원
밴쿠버 한인연합교회 목사(13년)
'가슴마다 파도친다'(303장) 외 100여 편 찬송가 작사
캐나다 문인협회 회장
캐나다 크리스천 문인협회 회장
미주 시조시인협회 회장, 이사장
밴쿠버 크리스천 한인학교 이사장
시집 '양지로 흐르는 강'(1992)
시집 '살아 있음이 이리도 기쁜데'(1994)
시집 '교포의 정원'(2002)
시조집 '겨울 창가에서'(2002)
시문집 '길보다 먼 여정'(1995) 외 저서 다수
대한민국 국민포장(1999)
'심상' 신인상 수상(1988)
허균문학상 수상(1999)

다윗은 위대한 신앙인.

다윗은 위대한 사람이다. 출중한 용모, 비상한 용맹, 뛰어난 재질, 성실한 인간성, 복종하는 신앙인, 관대한 통치자, 신앙으로 승리한 성서 인물 중의 인물이다.

이 다윗의 생애에 감동된 화가는 만화로, 이를 보고 감명받은 사회봉사자들은 영어로 번역하고, 이를 널리 보급하여 많은 다윗 같은 신앙인을 키우려는 꿈의 사람은 출판을 감행한다.

장한 선교의 열정들이다. 나는 이분들을 사랑한다. 이 만화가 어찌 소년소녀들만의 것이랴! 신앙인뿐만 아니라 모든 사람이 읽고 보고 배워야 할 인생 교본이 아닐 수 없다.

King David was an inspiration.

King David was a great man. Blessed with outstanding good looks, remarkable bravery, high intelligence, superior talent and sincere integrity, David is one of the most prominent figures in the Bible.

Further, he is portrayed as a trusted believer and a generous sovereign. The life of David inspired the gifted illustrator, and in turn, the illustrator inspired people in Canada to undertake an English translation. The publisher hopes to inspire readers to become sincere believers like King David.

The entire project consisting of drawing, writing, translating and publishing, is a mission from God. I love everyone involved in bringing these books to the world.

These books are not only for children but also for all those who believe in the holy spirit; they are a guide for life to all people.

추 천 사
(Recommendation)

지구촌교회 당회장 이동원 목사
Senior Pastor Dongwon Lee-Jiguchon Church

약력

미국 워싱톤 지구촌교회 담임목사 역임
국제복음주의 학생연합(KOSTA) 지도위원
현 국제OM 한국훈련원 원장, 이사장(1998~)
한미준(한국교회 미래를 준비하는 모임) 대표(1998~)
침미준(침례교 미래를 준비하는 모임) 대표
GMF 이사
현재 지구촌교회(한국) 담임목사

태초에 하나님께서 온 우주를 창조하시고 아담을 지으신 이후로, 인류의 문명이 시작되었고, 그 문명 속에서 어떻게 살아야 하는 것이 행복하고 올바른 것인가에 대해 성경이 잘 말해 주고 있습니다.

성경 66권은 하나님의 감동으로 씌어진 것으로서, 더도 덜도 말고 말씀대로 살기만 하면 가장 복되고 의미 있는 삶을 구현해 낼 수 있습니다.

오늘날 우리 후세들은 교회 교육과 말씀 교육으로 육성되어야 하는 중대한 시기에 직면해 있습니다. 다소 난해한 성경을 이해하기 쉽게 표현한 만화를 통하여, 하나님을 섬기는 사람들에겐 은혜와 감동이, 혹 하나님을 모르는 사람들에겐 하나님을 알게 되는 계기가 되길 바라며, 특히 영어로 번역되어 동시에 실리게 됨으로써, 언어의 장벽으로 선교하지 못하는 나라들까지도 전파될 수 있음을 확신하며, 세상 끝까지 하나님의 말씀을 전파하라는 명령을 수행할 수 있게 된다면, 이보다 기쁜 일이 또 어디 있겠습니까?

성경 전반의 내용을 만화로 풀어 보겠다는 계획을 진행하는 마가렛출판사에 격려와 찬사를 보냅니다.

Human civilization began after God created the universe and Adam. The Bible clearly tells us how to live a happy and righteous life in this world.

The sixty-six books of the Bible were written from God' s inspiration. Therefore, if we live in true accordance with the Bible, we will be blessed with a meaningful life.

These days, younger generations will face crucial moments in their lives and they will need guidance and inspiration from the Bible. These books offer an illustrated easy-to-read version of the Bible. I hope people will experience this blessing and also I hope the non-believers get to know God, especially as the books feature an English translation. They will surely reach many countries where it has been difficult to preach the Gospel due to language issues.

What can be more pleasurable than to follow the Lords' command to preach God' s word through these books?

I greatly applaud and offer encouragement to Margaret Books' who are well on the way in their plan to present the Bible through these delightful books.

추 천 사
(Recommendation)

어린이 전도협회 회장 최원장 목사(CEF 한국 대표)
Pastor Won Jang Choi-the Representative of CEF Korea

성경의 인물 중에서 다윗보다 더 드라마틱하고 성공적인 삶을 구사한 인물도 드물 것입니다. '킹 데이빗' 은 내용 구성면에 있어서 대단히 치밀하게 성서를 연구, 분석한 흔적이 엿보입니다.

성서의 인물을 통해 믿음이라는 실체를 동시대성으로 적용하여 마치 나 자신이 다윗이 된 듯한 착각에 만화라는 장르가 지닌 엄청난 효과에 절로 경탄을 금하지 않을 수 없습니다.

우리는 물론 자라나는 이 세대들은 기필코 다윗의 신앙을 계승, 발전시켜 나가야 할 것입니다. 뿐만 아니라, 실제의 생활에서도 공부도 물론 중요하지만 더욱 중요한 것은 건강한 육신과 정신, 건강한 신앙 등을 꼽을 수 있을 것이며, 이 필수불가결한 요소가 집약적으로 균형 있게 발전해 나갈 때 보다 원대한 꿈을 펼칠 수 있으며, 보다 탁월하게 하나님의 경륜을 이룰 수 있는 인재가 될 수 있을 것입니다.

세계 어디에 내놓아도 손색이 없는 귀한 신앙 만화를 만나게 되어 그지없이 반갑고, 이로 인하여 자라나는 세대들의 신앙 향상을 도모할 수 있다니 얼마나 다행스러운 일인지요.

오늘의 어린이들이 철저히 하나님을 경외한 다윗의 신앙을 표방할 수 있는 좋은 지침서로서 주저없이 이 책을 추천하며 권고드리는 바입니다.

It is rare to find a person featured in the Bible more dramatic and blessed than David. The 'King David' books are written and illustrated by someone who has extensively studied the Bible and its contents.

In reading these gorgeous books, I find myself identifying with David through my faith, and I am in awe of the effect it has had on me. Also, future generations need to keep the faith of David, In addition to a healthy body and soul, it is important for young people to have a strong faith. This is as important as studying. Only when this is developed, can they fully realize their true potential and have the ability to achieve God' s plan.

My experience with these precious books was pure joy. They proudly promote improved faith for future generations.

Without hesitation, I advise and recommend these books as a good reference that illustrates the beliefs of a God-loving David.

특수 부대 군인들이 다윗의 집을 포위한 채 아침이 되어 다윗이 문 밖을 나서기만을 기다리고 있었어요.

The special forces surrounded David' s house waiting for him to come out in the morning.

이상하군! 벌써 집을 나설 때가 되었는데… 조용하기만 하니 웬일이지?

That' s odd! David should be coming out by now… why is it so quiet?

혹시 무슨 눈치라도 챈 것은 아닐까요?

Do you think they suspect something?

할 수 없다. 자칫하면 왕명을 거역한 죄가 될지 모르니 들어가서 덮쳐야겠다.
We have no choice. One little mistake and we may be found guilty of refusing the King's order. We must go in and get him.

Clack
Clack

무엄하오! 감히
이곳에 허락도 없이
무장한 채로
발을 들여놓다니…!

Impudence!
How dare you set a foot
here fully armed without
permission, like that…!

썩 물러가시오! 내가 그대들을
그냥 둘 줄 아시오?
Get out of here, all of you!
Do you think I' ll let you get
away with this?

부디 용서하시옵소서!
대왕의 명령으로 다윗을
잡아가야 합니다.
Please forgive us!
But we must arrest David
by order of the King.

아무리 아버님의 명령이라지만,
지금 다윗님은 아파서 꼼짝도
못하는 처지란 말이에요!

Even it is my father' s order,
David is sick in bed;
he cannot even move!

아버님께서 피도 눈물도 없는 분이 아니실 테니, 다윗님의 병환이 완쾌되면 잡아가든지 말든지 마음대로 하세요.
My father is not heartless, so take him away or do whatever, only after his recovery.

이것 참… 난처한걸! 어떻게 한담?
What a trouble! What should we do?
일단 대왕님께 보고를 드리고 처리 여부를 알아오겠습니다
First we should report to the King and get his new order.

뭣이! 다윗이 병이 들어
앓아 누워 있다고?
What?
David is lying
sick in bed?
그렇사옵니다. 혹시라도
다윗이 도망 가지 못하도록
철통같이 지키고
있사옵니다만…
Yes, he is.
But we have tightly
surrounded him, so he
can' t escape.
무얼 꾸물대느냐?
녀석을 당장 잡아오너라.
내 손수 처단하겠다.
어섯!
Why hesitate?
Go get him. I want to execute
him myself. Go now!

옛! 즉각 분부대로
거행하겠사옵니다.
Yes, Your Majesty!
I will do as you say immediately.

크흐흐… 다윗 네 이놈!
이제야 네놈을 잡겠구나.
Khhhh… David you wretch!
I' ve got you now.
The time is finally here.

clench

Haak
Haak

왕께서 뭐라고
말씀하시던가?
What did the King say?

지금 당장 잡아오라고
호통이 대단하십니다.
He yelled at me saying that we must get him out, right now.

군사들이 다윗을 침상째로 들고 가기 위해
서둘렀어요.
The soldiers hurried to move
David along with his bed.
쯧쯧… 세상이 어떻게
돌아가는지도 모르고…
안됐군.
Tsk ts… He has no idea.
What is going on…
poor guy.
미갈과 시녀는 조마조마한 마음으로 군사들을 지켜보고 있었어요.
Michal and her maidservant were very worried and kept an eye on the soldiers.

어머…
어떻게 해요?
Oh no…
what is he going
to do?
다윗이 잡혀 가서
죽게 되나요?
Probably David will
be captured and put
to death?

허허… 은희가 무척
다윗이 걱정되는가
보구나.
Huh huh… Eun Hee
seems to be anxious
about David.
흠… 그럼 하나님께서
다윗을 어떻게
지키시는지 볼까?
Hum… Now we shall
see how God protects
David?

미갈이 곤히 잠든 다윗을 깨우자 다윗이 놀라며 일어났어요.

David, who had been deeply asleep, got up surprised as Michal work him up.

곤히 자는 사람을
깨우다니 대체
무슨 일이오?
Why are you
waking me up?
What's going on?

이러고 있을 때가 아니에요. 군사들이 집 주변을 포위하고 있어요!

There' s no time to waste. Soldiers have surrounded this whole house!

뭐이?

What?

목숨을 건지시려거든
이 밤에 급히 탈출하세요.
그렇지 않으면 내일 당신이
저들의 손에 어떻게 될지
몰라요. 어서!

If you want to save your life,
you' ve got to escape from here
now. Or who knows what they
will do to you. Hurry!

이리 오세요. 어서
저쪽 구석진 곳의
작은 창문으로
탈출해야 해요.

Come this way,
quickly go through
the small window
in the corner.

자… 빨리 이리로
뛰어내리세요.

Hurry… jump down
this way.

다윗은 한밤중에 몰래 위험한
탈출을 시도했어요.

That night David carried out his dangerous escape.

아… 제발…
무사하시길…
하나님… 제발
도와 주세요!

Oh, Lord!
Please let him be safe!
Help him please!

지금이라도 저들이
들이닥쳐 다윗님이 없다는
사실을 알면 어떻게 하죠?
얼마 못 가 잡히시면…
What if the soldiers come in here even now and find out David is gone? What if they catch him?

옳지!
좋은 수가 있어!
Wait a second!
I have a good idea.

저것을 이용하면
되겠어.
We can use that statue
over there.

자… 이리 와서
이 조각상을 좀 같이
들자구나!

Come here and help
me move this
sculpture!

미갈은 마치 다윗이 계속 잠자리에 누워 있는 것처럼 감쪽같이 위장해 놓기로 했어요.

Michal and her maidservant moved the sculpture and laid it on his bed to disguise it as David.

옷을 입혀 놓으니
그럴싸하군… 그런데
얼굴은 어떻게 한담?

Now with clothing on, it looks more like a man… but what about the face?

이걸 한번 이용해
보세요.

Let' s try this one.

그래… 얼굴은 염소 털로 짠 이 천으로 살짝 덮어 놓자.
Ah, I got it… we can cover its head with this cloth made from goat hair.
휴~ 감쪽같군! 이만하면 누가 봐도 다윗님이 잠자리에 계속 누워 계신 것처럼 보이겠군.
Whew~ It looks perfect! Anyone who sees this will think David is still lying in bed.
이렇게 마치 다윗이 누워 있는 것처럼 꾸며 놓았지.
And finally, Michal made up the bed so it looked like David was in bed.

이상한데…
That’s strange…

아무리 환자라지만,
이렇게 조용할 수가…
Even he is sick, he
can’t be this
motionless…

헉!
이… 이건 또 뭐야!
Oh!
What on the earth
is this?

다윗이 아니잖아!
이… 이럴 수가…?
큰일이군!

It' s not David!
How can this be?
This is terrible!

어… 어서 왕께
보고를 드려라!

Hurry…
Report this to the
King immediately!

뭣이?
다윗이 벌써 탈출했다고?
What are you talking about?
He escaped again?

보고를 받은 사울 왕은 미칠 지경이었어요.
The news that David had escaped
made King Saul angry.
이… 이럴
수가…
How… how
can this be…

냉큼 미갈을 잡아오너라. 어섯!
Bring Michal here at once.
Now!

네 이년! 감히
아비를 속이려 들다니…?
You wench!
How could you deceive your
own father like that…?
어쩌자고 내 원수 놈이 무사히 빠져
나가도록 도와 준단 말이냐?
How could you help my enemy
escape safely?

Thud
노여워하지
마시옵소서…
Please do not be
angry with me…
빠져 나가게 해 주지 않는다면
저를 죽이겠다고 협박하는데
어쩔 도리가 없었사옵니다.
I did not have any choice,
because David threatened that
he would kill me if I didn' t
help him escape.

끄으으… 눈에 가시 같은 놈을 없애 버리나 했더니…
Oh no… I was going to do away with this thorn in my side…
아… 아… 다윗이란 놈을 제거하기가 이렇게 힘들다니…
Sigh… sigh… Why is it so difficult to get rid of David…

다음 문제의 답을 알고 계시나요?

Do you know the answer to this question?

1. 다윗은 누구와 결혼했나요?

Whom did David marry?

답은 맨 뒷장에서 확인하세요.

The answer is found at the back of the book.

별빛보다 더 빛나는
다윗과 요나단의 우정
The Beautiful Friendship Between
David and Jonathan

요나단이 산책을 하며 생각에 잠겨 있었어요.

Jonathan, while taking a walk, was full of thought.

아니! 자네는 다윗 아닌가? 소식도 없이 어쩐 일인가?
Hey! Isn’ t it David? What made you bring here?

이보게 요나단! 대체 내가 무슨 잘못을 범하였길래 자네 아버님께서 번번이 내 목숨을 노린단 말인가?
Jonathan! What did I do wrong to make your father try to kill me all the time?

자네를 죽이려 하다니…? 그럴 리가 있나?
To kill you…? My father would never do that, would he?

아버님께서는 큰 일이든 작은 일이든 나에게 알리시지 않는 일이 없다네.
No matter what the situation is, my father tells me everything.

자네를 죽이려
하다니… 터무니
없는 말일세!
He' s trying
to kill you…
that' s not possible!

그런 중요한 일을
나한테 알리지
않다니… 절대 그럴
리가 없으시네.
Not to mention to me
such a crucial matter…
No, it can' t be!

아냐!
그렇지가
않아.
No, It's true,
you're
mistaken

틀림없이 왕께서 자네가
나를 끔찍이 생각해 주는
것을 아시고 자네가
괴로워할까 봐 이 일만은
자네에게 알리지 않기로
하신 것일세.
No doubt, knowing you
care for me deeply, the
King did not tell you of
this lest you become
grievous.

그럼, 이렇게 하세. 내일부터 신하들이 왕을 모시고 식사하는 중요한 월삭 축제가 아닌가.
Ok, how about this. Tomorrow is the first day of the New Moon Festival. It is an important day as his officials are going to be dining with the King.
그러나 나는 그 자리에 참석치 않고 사흘 동안만 숲 속에서 숨어 있도록 허락해 주게.
But I won' t be at the table. Let me go and hide in the woods for 3 days.

만일 대왕께서 내가 보이지 않는다고 찾으시거든 가족들이 하나님께 드리는 제사가 있어서 고향에 다녀오겠다고 말하더라고 전해 주게.
If he wonders where I am, tell him I have gone home to my family to offer a sacrifice to the Lord with them.
왕께서 꼬투리를 잡지 않으신다면 내가 무사하겠지만…
If the King is calm, that means I will be safe, but…
만약 화를 내신다면 나를 해치려고 결심하신 것으로 알고 있게.
If he loses his temper, then, you should know that he is determined to harm me.

자네와의 우정을 믿네. 우리 둘은 하나님 앞에서 의형제를 맺은 사이가 아닌가?
I will trust you as a friend. We are sworn brothers in God, aren't we?

나에게 허물이 있다면 차라리 자네가 날 죽여 주게. 굳이 자네 아버님의 손을 빌릴 것까지도 없지 않은가?

If I am at fault, then kill me yourself. We don't need to drag your father into this, do we?

안심하게!

Don't worry!

아버님이 자넬 해칠 기미가 보인다면 내 어찌 자네에게 알리지 않겠는가?

If my father really intends to harm you, why would I not tell you?

오랜만에 우리 바람이나 같이 쐬러 가세.

It has been a long time since we carried on like this, my friend. Let's go on a ride.

Neigh

Pit-a-pat

다각
다각
Clip-Clop
다각...
이히힝!
Neigh!
어~
시원하다!
Whoa~
It feels good!

내일 이맘때 아버님의
마음을 한번
떠보겠네.

I will see how my
father reacts by this
time tomorrow.

나에게서 별 소식이
없거든 아버님이
아직도 자네를
좋아하시는 것으로
알게.

If you do not hear
anything from me,
then that means my
father still likes you.

하지만 아버님이 자네를 해치려고 하신다면 소식을 보내겠네.
If I find that my father wants to harm you, then I will send you a message.

만약 내가 알려 주지 않아서 자네가 무사히 도망치지 못하게 된다면 하나님께서 나에게 어떤 벌을 내리셔도 달게 받겠네.
If I don' t let you know and you do not escape from here safely, then I shall receive punishment from God.

그러나 한 가지 부탁이 있네. 우리 목숨이 붙어 있는 한 하나님 앞에서 서로의 우정을 저버리지 않도록 하세.
But I have a favor to ask you. Promise me to be my friend always, as long as we live. God is our witness.
이것이 나의 진심일세!
I mean it from my heart!

아무렴! 우리의 뜨거운 우정이 식을 리야 있겠는가?
Definitely! How could it be otherwise?

자네는 저 에셀 바위 옆에
숨어 있게나.
You should go hide by
the rock Ezel.

아버님이 몹시 화를 내시고
자네를 찾으신다면 내가
그곳으로 신호를 보내겠네.
If my father does get angry
and looks for you, I will give
you a signal there.

내가 과녁을 맞히는 체하고
그쪽으로 활을 세 번 쏘도록 하겠네.
I will pretend that I am target
practising, so I will shoot three
arrows near the rock.

시종을 시켜 화살을 거둬 오게 하면서
"화살이 이쪽에 있다. 집어 오너라" 하면 안심하게.
After that, I will say to my servant, "the arrows are
over here, get them and come back", and that
means you are safe.
절대로 아무 일이 없을 터이니
마음 놓고 나오도록 하게.
That means everything is okay.
You can come out of hiding without worry.

그러나 내가 시종에게 "화살이 저쪽에 있다. 더 가거라" 하고 외치면 급히 떠나도록 하게.
But, if I say, "Look the arrows are far away, go further", then leave here as fast as you can.
하나님께서 주시는 피하라는 신호로 알도록 하게.
Please understand that the Lord is telling you to escape from this place quickly.

하나님께서 우리의 약속에 대해 듣고 계시다네.
The Lord heard what we have said to each other today.

어때? 정말 눈물겹도록 아름다운 두 사람의 우정! 본받을 만하지요?
How' s the story so far? Their beautiful friendship is impressive indeed, isn' t it? Don' t you wish you were just like them?

너희들도 그런 친구 사이가 되도록 해야 한단다.

You should develop a friendship like those two.

예! 저도 꼭 그런 친구 만들고 싶어요.

Yes! I want to have such a friend.

그러기 위해선 먼저 자기 자신부터 좋은 친구가 되어야 하겠죠?

First of all, you must be a good friend yourself to get a good friend, right?

암! 그렇지. 친구란 어느 한쪽만 잘해서 되는 게 아니고, 서로 존중하며 배려해야 하는 거란다.
Right, that's correct! The friendship is not made only by one side, but is based on mutual respect and consideration.
허허허~ 너희들은 모두 그런 친구 사이가 될 것 같구나.
Huh huh huh~ It seems that all of you will be friends like that.

만찬장에 나온 사울 왕이 자리에 앉았어요.

King Saul seated himself in the banquet hall.

자… 식사를 들도록 하자구나.
Okay… let us eat.

다윗의 자리는 비어 있었지만, 사울 왕은 아무 말도 하지 않았어요.
David's seat was empty but King Saul did not say anything.

사울 왕은 속으로 생각하기를…

But Saul thought…

다윗이 지난번 일로 참석하지 않은 모양이로군.
Probably, he' s not here because he feels uneasy about what happened the other day.

이튿날도 다윗의 자리가 비어 있자 사울 왕의 안색이 달라졌어요.

But the next day, when David' s chair was empty again, King Saul' s mood had changed.

다윗이 어제 이어 오늘도 식사에 참석하지 않으니 무슨 일이냐?

David has not joined us for dinner for two days, what is going on?

예! 다윗이 고향에 좀
다녀오게 해 달라고
청했사옵니다.

David requested to go
to his hometown.

형들이 드리는 예배에
다녀와야 한다고 간청을
하길래 허락했사옵니다.

I let him go because he
asked earnestly to join his
brothers to attend a
worship service.

무엇이
어쩌고 어째?
What?
What
is this?

벌써 다윗이
도망을 쳐
버렸구나.
So David has
already left.
이 쓸개 빠진 놈아! 네가
왕자임에도 불구하고
다윗을 두둔하다니…
다윗이 왕이라도 되는 날엔
어찌되는 줄 알기나 해?
You fool! You are the
crown Prince. How dare
you back up David? Do
you know what will
happen if he becomes
a King?

백성들은 마치 네놈이
간통이라도 해서 생긴
못난 자식이라고
놀려 댈 테지.

The people will laugh at you, saying you are an illegitimate son of a perverse woman.

벌떡

도대체 언제
철이 들려느냐?

When are you going to grow up?

다윗이 살아 있는 한 너는 결코 왕이 될 수 없단
말이다. 당장 그 죽일 놈을 잡아 들여라!

As long as David is alive, you will never be King. Bring him here right away. He must die.

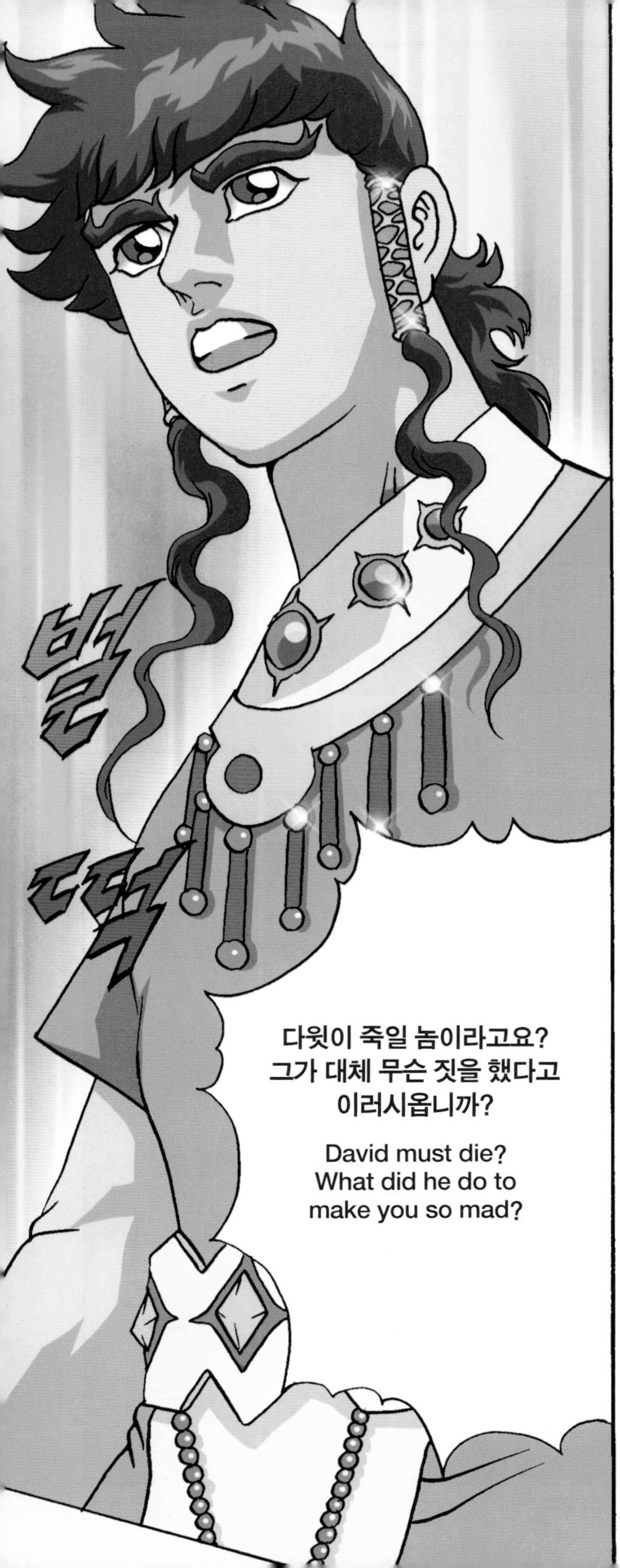

벌떡

다윗이 죽일 놈이라고요?
그가 대체 무슨 짓을 했다고
이러시옵니까?

David must die?
What did he do to
make you so mad?

아니… 이놈이 그래도 정신을 못 차리고
기껏 한다는 소리가…

What… you fool,
you still don' t get it, do you?

다윗보다 네놈을 먼저 죽여야겠구나. 에잇!
It looks like I will have to kill you first before David. Yaah!

왕이시여, 고정하시옵소서… 제발!
Your Majesty, calm down… I beg you!

왕자님!
하루 종일 아무것도
드시지 않으셨는데…
식사를 좀 드시옵소서.

Prince Jonathan!
You haven' t eaten all
day… please have
something to eat.

병이라도 나시면
어찌하옵니까?

You might get sick.

물러가라··· 친구의 목숨이 위태로운 마당에 어찌 음식이 넘어가겠느냐···
Leave me alone··· My friend' s life is in danger. I' m not in the mood to eat···
그래도··· 몸을 돌보시면서··· 식사를 좀 하시옵소서··· 제발!
But still··· you have to stay healthy··· have something to eat··· please!
지금 내 마음이 너무도 아프니 더 이상 아무 말 하지 말아라.
I am too upset. Don' t talk to me anymore.

다음날 요나단은 시종을 이끌고 언덕을 올랐어요.

The next day, Jonathan went to the top of the hill with his servant.

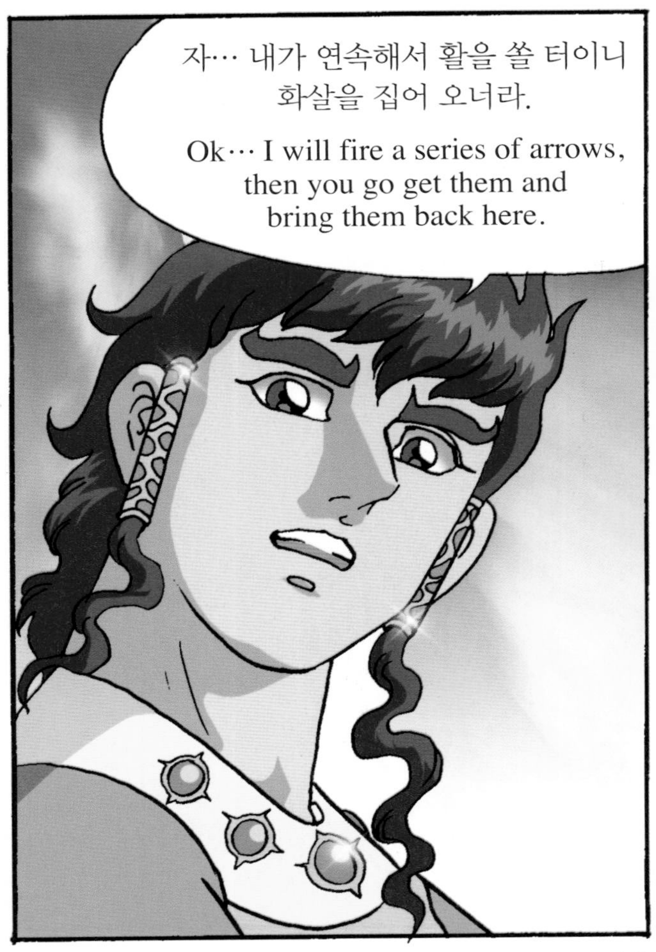

자… 내가 연속해서 활을 쏠 터이니 화살을 집어 오너라.
Ok… I will fire a series of arrows, then you go get them and bring them back here.

옛, 왕자님!
Yes, Prince!

Tug
Whack

Zoom
Zoom
Thunk
Thunk
화살은 더 나가야 있다!
더 가거라!
Look, the arrows are far away! Go farther!

수고했다! 너는 활을 갖고 먼저 성 안으로 들어가도록 하거라.
Good work! Take my bow and go back to the palace.

예!
Yes, sir!

다윗은 바위에서 나와 요나단을 향해 세 번 절하며
요나단의 마음에 고마워했어요.

David came out from the side of the rock and walked toward Jonathan and thanked him for his kindness by bowing down 3 times before him.

친구여… 일어나게! 나에게
절을 하다니, 웬일인가?

Stand up… my friend!
Why are you bowing to me?

다윗!

David!

요나단!

Jonathan!

와락

Hug

어서 피하게. 잠시라도 지체할 시간이
없네. 아버님의 노여움이 대단하시다네.

You must get out of here immediately.
There's no time to waste.
My father's rage is too great.

자네의 뜨거운
우정을 잊지 않겠네.

I will never forget your
friendship.

하나님께서 우리의 맹세를
항상 기억하실 줄 믿네.

I believe that God will always
bless our friendship.

다윗은 요나단과의 아쉬운 작별을 뒤로 하고 망명의 길에 올랐어요.

David bade heartfelt farewell to Jonathan, and he began his journey to flee from the danger.

친구여, 잘 있게!
My best friend, take care!

생명보다 소중한 나의 친구여… 부디 잘 가게!

My friend, whom I consider more precious than my own life… Go in peace!

잠깐만요!

Just a moment!

다음 문제의 답을 알고 계시나요?

Do you know the answer to this question?

2. 다윗은 누구와 의형제를 맺었나요?

Who was David' s sworn brother?

답은 맨 뒷장에서 확인하세요.
The answer is found at the back of the book.

무고한 제사장들의 대학살
The Slaughter of Innocent Priests

다윗은 아히멜렉 제사장을 찾아갔어요.
David went to find Priest Ahimelech.

아니? 그대는 다윗 장군이 아니시오?
You are General David, aren' t you?

예! 아히멜렉
제사장님,
평안하셨습니까?

Yes! Priest
Ahimelech! How
are you?

어서 오시오.
참으로 반갑소이다.

Come on in.
I’ m glad to see you.

그런데… 어떻게 아무도 없이
혼자 오셨습니까?

But… why are you here alone?

예… 왕의 명령을
비밀리에 수행하고
있습니다.

I’ m on a private
mission for
His Majesty.

부하들과는 약속한 지점에서
만나기로 하였습니다.

I had arranged to join the troops
at a certain meeting place.

그런데 제사장님, 혹시 먹을 것 좀 마련해 주실 수 없겠습니까?
By any chance, do you have anything to eat?

대단히 시장하신 모양이군요.
It seems you are really hungry.

그렇습니다. 떡이 있으면 다섯 덩어리만 주십시오.
Yes I am. If you have any bread, could I have five loaves, please?
아니면 다른 거라도 좀 주십시오.
If not, I will take anything else you have.

으음… 난처하군요. 보통 떡은 없고 거룩한 떡밖에 없는데…
Hmmm… this is a difficult situation. There is no common bread but some consecrated bread only…

할아버지! 거룩한 떡이란
무슨 떡을 말하는 거예요?
Grandpa!
What is the consecrated bread?

그래, 거룩한 떡에 대해
설명해 주지.
Okay!
I' ll explain what it is.

이 떡은 원래 하나님께 예배드리는
제사장들만 먹게 되어 있는
떡이란다.
This bread was usually eaten
only by the priests who served God.

떡 한 덩어리의
크기는 약 1/5 에바
(약 4.5ℓ)이고
넓적하고 둥근 떡이지.
It is a large, flat,
round bread that is
about 1/5 of an ephah.
(around 4.5ℓ)
Book

성경 말씀을 한번 찾아볼까?
마태복음 12장 1절과 8절에 기록된
예수님이 하신 말씀을 누가 좀 읽어 보렴.
Shall we look it up in the Bible?
Turn to Matthew 12:1-8
where Jesus mentioned it.
Who will look it up and read it?
거기에 거룩한 떡에
대한 얘기가 있지.
There is a talk about
the consecrated bread.

제가 찾아
읽을게요.
I will do that.

오… 예찬이가? 마태복음이
어디에 있는지도 모르는
줄 알았더니…
Oh, I didn't know if you
knew where the book of
Matthew was.
Flip
파라락

할아버지! 예찬이는요
먹는 것과 관련된 것이라면
총알같이 빨라요.
Grandpa! If it has to do with food, Ye Chan is as fast as a speeding bullet.

하하하핫! 예찬이는
정말 못 말린다니까!
Ha ha ha!
He really cracks me up!

나도 하하하다.
아그들아…
I will laugh at you too, ha ha ha…
내가 성경을 빨리 찾으니
부럽다 이 말이지?
잘 들으렴.
You guys are just jealous because I can find the books in the Bible so quick, right? Well, listen carefully.
Book

“그때에 예수께서 안식일에
밀밭 사이로 가실 때”…
“At that time Jesus went through the grainfields on the Sabbath”…

예수님과 제자들이 안식일에
밀밭 사이를 지나가셨어요.

Jesus and his disciples went through the grainfields on the Sabbath.

얍… 얍

Sniff… sniff

마침 배가 고프던 제자들은 이삭을
잘라 먹으면서 배고픔을 달랬어요.

It was timely for the hungry disciples; they took some heads of grain and started to eat in order to satisfy their hunger.

예수님의 잘못된 점을 찾아보려던 바리새인들은
예수님께 이 사실을 따지고 들었어요.
When the Pharisees who had been looking for a fault with Jesus, saw what His disciples were doing and they questioned Him about this.
보시오. 당신의 제자들이 안식일에 해서는 안 될 일을 하다니… 있을 수 없는 일이오.
Look! Your disciples are doing what is unlawful on the Sabbath. They can' t do this!
다윗이 자기와 그 함께 한 자들이 시장할 때에 한 일을 읽어 보지도 못하였느냐?
Haven' t you read what David did when he and his companions were hungry?

그가 제사장 외에는 자기나 그 함께 한 자들이 먹지 못하는 거룩한 떡을 먹지 아니하였느냐?

He and his companions ate the consecrated bread which was not lawful for them to do, but only for the priests.

그래요. 예수님께서도 거룩한 떡은 제사장들만 먹는 것이었다고 분명히 말씀하셨단다.
That' s right! Jesus clearly said that the consecrated bread was only for the priests.

그러면 다윗이 강제로 떡덩이를 빼앗은 것인가요?
Then did David force his way to get the bread?

아니…! 다윗은
그렇게 무례한 사람이
아니란다.
No…! David was
never that rude.
제사장 아히멜렉은 굶주린 상태에서 떡덩이를 원하는
다윗의 안타까움을 외면할 수 없었어요.
As Ahimelech saw David was starving, he could not
refuse David' s desperate plea.
그대와 부하들의
배고픔을 못 본 체할
수가 없군요.
I can' t ignore the fact
that you and your men
are starving like this.
잠시만
기다려 보시오.
기도해 보겠소.
Please wait a moment.
I will pray.
성소에서 다윗을 위해 기도하고
나온 제사장이 물었어요.
The Priest came out of the sanctuary after
praying for David, and he said these words.
혹시 장군님의
부하들이 여인을 가까이
하지는 않으셨습니까?
Has anyone here
been with women?

예! 그 점은 염려 놓으십시오.
저와 부하들이 요즘 며칠 동안
여인과 가까이 한
일이 없습니다.
No! Please do not
be concerned about that.
We have not been near
any women for days.

그런 일이 없는
깨끗한 상태라면 떡을
드리도록 하겠습니다.
Then,
you' ve been pure;
I' ll give you the
bread.

이때 다윗과 아히멜렉의 얘기하는 모습을
먼발치에서 지켜보던 한 사람이 있었어요.
At that time, someone was watching David
and Ahimelech talk from a distance.
제사장님… 한 가지만
더 부탁드리겠습니다.
왕명이 급해서
아무런 무기도 없이
그냥 왔는데 창이나
칼 같은 무기가 될
만한 것이 혹시 없습니까?
Priest… I have to ask of you
one more thing. The King' s
order was so urgent that I came
here without any weapons.
Do you have any weapons,
like a spear or a sword?

전에 장군께서 죽인
블레셋 장수
골리앗의 칼밖에
없소이다.
I have nothing but the sword of the Philistine General Goliath, whom you killed.
그 칼이라도 필요로 하신다면
기꺼이 드리겠습니다.
If you need that sword, I will give it to you.
제사장이 골리앗의 칼을 가져왔어요.
The Priest brought out Goliath's sword.
그만한 것이
또 어디 있겠습니까?
어서 주십시오!
Where else could I get that kind of sword? Please let me have it!
어휴… 무거워!
나는 제대로
들기도 힘이
드는군.
Whew… It's heavy! It's hard for me to even lift this up.

감회가 새롭군.
골리앗을 쳐죽이던 때가 엊그제 같은데…
It feels so new. It seems like only yesterday I defeated Goliath.
골리앗이 휘두르던 칼!
그러나 이제부터
내가 너의 주인이다!
This is the sword that Goliath used!
Now, I' m your master!

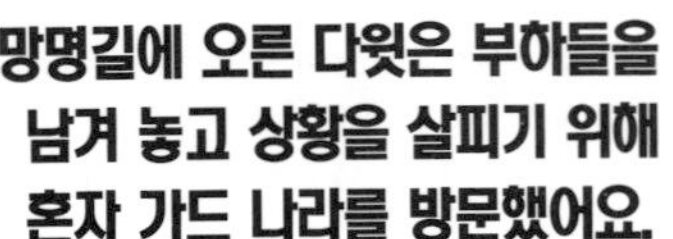

망명길에 오른 다윗은 부하들을
남겨 놓고 상황을 살피기 위해
혼자 가드 나라를 방문했어요.

As David and his men were escaping, they came to the kingdom of Gath where David decided to go in alone to find things out.

뭐? 저놈이 다윗이라고?

What? Is that David?

아기스 왕이 통치하는 가드 나라.

King Achish was the ruler of the kingdom of Gath.

예! 틀림없사옵니다. 다윗이 분명하옵니다.

Yes! There' s no doubt about it. It' s David.

이스라엘 백성들이
"사울이 죽인 자는 수천이요,
다윗은 만만이로다"라며
외치던 그 장본인 다윗이옵니다.
The people of Israel said of him,
"Saul killed thousands while
David slain tens of thousands."
He is that very David.

원수가 제 발로
찾아들었사옵니다. 저놈의
손에 무참히 죽은 군사들의
수효를 헤아릴 수조차
없사옵니다.
The enemy has come to us
himself. We can' t even count the
number of our men who were
brutally killed by this man.

아니… 미친 놈이 아니고서야 원수의 나라에 스스로 찾아올 리가 있겠느냐?
He must be a madman to walk into his enemy territory by himself.
아뿔싸… 내 얼굴을 알아보는 자가 있다니… 큰일이군!
Oh, no… I didn' t think somebody would recognize my face!
워억! 웍!
Woooaaakk! Wooaak!
크워억 크웍!
Kkwoooaaaakk! Kwoook!

이크!
무슨 소리야?

Oh, what is that noise?

어휴, 깜짝이야.
간 떨어지는 줄 알았네.

What a shock.
That was scary.

크워워커! 크으으! 크으…

Kkwoooaaakk! kwooo!
kwooo…

와하하하
카하하핫!

Wahahahaha!
Kahahahaha!

워어억! 워억!
워어어어···
Wooaaaaak! Wooaak!
Kwoooaaaa···

지… 진짜 미친
놈이잖아! 어쩌자고
이런 놈을 나에게
데리고 왔느냐?

He is really crazy!
Why have you
brought me a
madman?

뭐하러 미친 놈을 데려와서
나를 골치 아프게 하느냐?

Why bring a lunatic here
to disturb me so much?

어서 썩 쫓아내지
못할까!

Take him out,
right now!

간신히 위기를 모면한 다윗은 부하들과 함께 아둘람 굴로 피신하였어요.
After a narrow escape, David and his men fled to the cave of Adullam.
이 소식을 전해 들은 사람들이 다윗을 그리워하였어요.
Those who heard the news missed David.
하나님이 함께 하시는 다윗님이 산 속에 피신해 계시는데 우리도 그리로 가세!
God is with David, and now he has been hiding in the mountains. Let' s join him!
무능한 사울 왕 밑에서 썩느니보다 다윗님과 생사를 함께 하는 편이 훨씬 좋지 않은가? 자, 함께 떠나세!
Isn' t it better to share life with David than be ruined under the incompetent King Saul? Let' s go!

사울 왕에게 불평을 품고 있는 사람들과
고통을 당하는 사람, 빚진 자들,
마음이 원통한 자들이 모두 다윗을 따르기 위해
아둘람 굴로 몰려 들었어요.
All those who complained about King Saul, those who were in distress or in debt or discontented, assembled to the cave of Adullam to follow David
어서 오시오!
고생이 되겠지만
함께 참고 견딥시다.
반드시 좋은 날이 올 것이오!
Come, everyone! Let us endure the hardship together! I' m sure there will be a better day in the future!
다윗을 따르기 위해 몰려 든 사람이
400여 명이나 되었어요.
In total, around 400 people followed David.

다윗의 부모와 형제들도
다윗을 찾아왔어요.
David' s parents and his brothers came to see him, also.

아버님 어머님,
먼 길에 고생하셨군요.
죄송합니다.
Father, mother, I' m sorry! You had to come a long way to see me.

내 사랑하는 아들
다윗아…
My beloved son, David…

부모님이 여기서 고생하시는 것을 자식으로서
차마 볼 수 없으니 두 분이 계실 곳을
마련해 보겠습니다.
As a son, I cannot let you stay here in this miserable place. I' ll find a proper place for you to stay.

다윗은 미스바 지역의 모압 왕에게 찾아가 부모님을 보호해 줄 것을 요청하였어요.

David went to Mizpah and asked the Moabite King to take care of his parents.

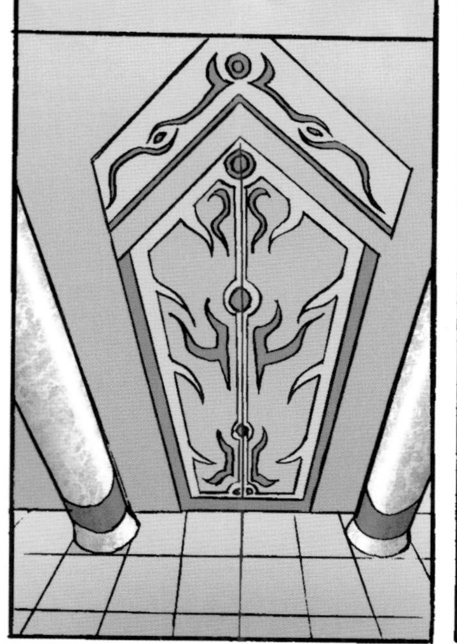

왕이시여! 당분간만 제 부모님을 보호해 주시기 바랍니다.
Your Majesty! Please look after my parents for a short time. I beg you.

그대의 부모님을 잘 보호해 드릴 터이니 마음 푹 놓으시오.

Yes, I' ll care for them. Do not worry.

그대는 용사 중의 용사인데 잠시 어려운 처지를 모른 체한대서야 말이 되겠소? 그렇게 하리다.

You are one of the best warriors, I cannot ignore it when you' re going through such hardship. I will do what you ask of me.

고맙소이다, 왕이시여!

Thank you. Your Majesty!

다윗이 아둘람 동굴로 돌아왔을 때,
'갓' 이라는 선지자가 찾아왔어요.

When David returned to the cave of Adullam, a prophet named Gad was there.

이 은신처에서 속히 피하십시오. 유다 지방으로 가시는 게 좋겠습니다.

I think you should leave this place at once and go to the land of Judah, as soon as possible.

알겠습니다. 선지자님의
말씀을 따르겠습니다.
Yes, I will follow your advice.
다윗은 선지자의 말을 좇아 유다 지방의
하렛 수풀에 새로운 은신처를 마련했어요.
David headed towards the forest of
Hereth in Judah as the prophet told him,
where they found a new hiding place.

한편, 탈출한 다윗을 잡기 위해 혈안이 되어 있는 사울 왕은 어떻게 하고 있을까요?
Meanwhile, how was King Saul faring in his frantic attempt to capture David?
다윗이 따르는 무리들과 함께 다닌다는 소식을 들은 사울 왕은 마음이 불안하기 짝이 없었어요.
King Saul felt so uneasy over the news of David and his troops.
명색이 신하들이지만 쓸모없는 녀석들뿐이로구나…
These servants are useless…

나중에 다윗이
왕이라도 되면
너희들이 땅이나
포도원이라도
받을 성싶으냐?

If David becomes a King, will he give you land or vineyards?

그가 너희들을 높은 자리에
앉혀 주기라도 할 줄
아느냐?

Do you think he will give you a place in the highest ranks?

모두 한통속이 되어
나를 뒤엎기라도 할
작정이라도 세웠더냔
말이다!

You are conspiring together to overthrow me! All of you!

사울 왕은 끓어오르는 분노를 신하들에게 마구 터뜨리고 있었어요.
King Saul could not restrain himself and released his anger onto the servants.
그렇지 않고서야 내 아들 요나단이 다윗과 결탁한 것을 알고도 보고해 주는 놈이 하나도 없다니…
Not only that, none of you informed me Jonathan had sided with David…
다윗이란 놈이 지금 반항을 하며 잠복하고 있는데도 가만히 있는 너희들을 보니 한심하기 짝이 없구나… 에잉!
David is rebelling against me and in hiding. And you servants are just standing there doing nothing. It makes me sick… Ugh!

이때 도엑이 사울 왕 앞으로 나섰어요.
At this point, Doeg approached King Saul.

왕이시여,
제가 한 말씀 올리겠사옵니다.

Your Majesty,
I have something to tell you.

이새의 아들 다윗이 아히멜렉
제사장과 몰래 의논하는 것을
제가 직접 목격한 바
있사옵니다.

I saw Jesse' s son, David
talking with Priest
Ahimelech secretly.

뭣이?
그게 사실이냐?

What?
Is it true?

예! 아히멜렉은 다윗이 앞으로 어떻게 하면 좋을지 가르쳐 주는가 하면 또 그 부하들이 먹을 것으로 제사장만이 먹을 수 있는 거룩한 떡을 나누어 주었사옵니다.
Yes, Your Majesty! Ahimelech advised David on what to do and gave him the consecrated bread to feed his men.
게다가 블레셋 사람 골리앗의 칼을 내어 주기까지 하였사옵니다.
In addition, he gave David Goliath' s sword.

정녕… 그 말이 사실이렷다?
Is that the truth?

감히 대왕님 앞에서 거짓말을 하겠사옵니까?
Is there any reason why I would lie to my King?

여봐라! 당장 아히멜렉과 그 집안의 제사장들을 모조리 끌고 오너라.
Well, then get Ahimelech and all the other priests from his clan and bring them here immediately.

아히멜렉과 가문의 제사장들이 사울 왕 앞으로 끌려 왔어요.
Ahimelech and the priests were brought before King Saul.
아히둡의 아들 아히멜렉은 들거라!
Ahimelech, the son of Ahitub, listen to me!
말씀하소서, 왕이시여.
Please speak, Your Majesty.

너는 어찌하여 다윗과 한통속이 되어 나를 뒤엎으려고 계교를 꾸민단 말이냐?
How could you conspire against me by helping David?

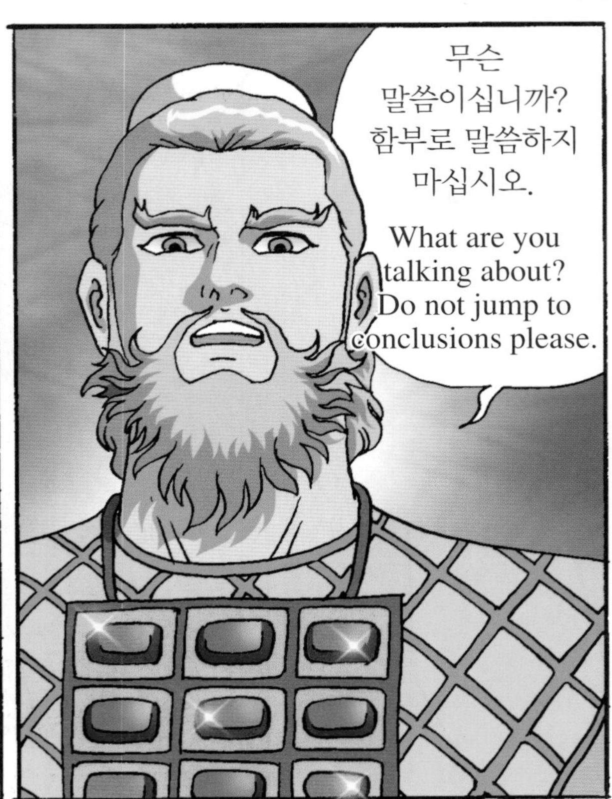

무슨 말씀이십니까? 함부로 말씀하지 마십시오.
What are you talking about? Do not jump to conclusions please.

다윗에게 먹을 것을 주고 무기를 내어 주는가 하면 그가 할 일까지 하나님께 알아보고 일러 주었다는데 시치미를 뗀단 말이냐?

Are you denying you gave David food, weapons and inquired God for him? Are you?

지금 그놈이 나에게 반항을 하며
잠복해 있단 말이다.
The wretch has turned against me
and is in hiding now.
왕이시여,
고정하소서.
Your Majesty!
Please calm down.
왕의 신하들 가운데서
다윗보다 믿음이 가는
신하가 또 누가
있겠습니까?
Who is more
faithful than David
among your servants?

다윗은 왕의 사위일 뿐만 아니라
왕의 신변을 보호하는 경호대장으로서
왕궁에서도 귀한 신분이 아니십니까?

David is not only your son-in-law,
but also he' s the chief guardian and
the most valuable warrior
in the palace.

그가 할 일을 하나님께 알아봐 준 것은 전에도 늘 있던 일이었습니다.
I asked God what David should do and passed it along to him, all the time.

다른 마음이 있다고 덮어씌우신다면
너무나도 억울합니다.

If you think otherwise, it is so unfair to me.

부디 냉정하게 판단하시기 바랍니다.

Please think clearly about this.

구질구질하게 변명한다고 위기를 모면할 것 같은가?
If you' re making excuses, do you think I will let you off so easy?
너와 너의 일가는 몰살이다.
You and all your clan will die here!
여봐라! 냉큼 이 제사장들을 남김없이 처단하라!
Kill these priests, all of them, right now!

이들은 다윗이 어디 있는지 알면서도
말하지 않는 반역자들이다.

They are traitors who knew where David was,
but did not tell me.

어서 처단하지 않고 뭘
꾸물대느냐?

What are you fools doing,
standing there,
kill them now!

하나님의 제사장들을 치다니요…
그런 중한 죄를 지을 수 없사옵니다.

Strike the priests of God?
I cannot commit such a serious sin.

그렇사옵니다. 왕이시여…
차라리 죽으면 죽었지 그렇게는
못하겠사옵니다. 제발…

Even if I should die,
I cannot do such a thing.
Please…

호위병들은 감히 하나님을 섬기는 제사장들을
칠 수 없어 왕의 명령을 거역할 수밖에 없었어요.

The guards dared not harm the priests who served God,
so they had no choice but to disobey Saul' s orders.

이런 머저리들
같으니라고…

You idiots…

어떠냐, 도엑!
네가 이 자들을
제거하겠느냐?

How about you,
Doeg?
Will you get rid of
these traitors?

크흐흣!
그 일이라면
제게 맡겨
주십시오.

Khhhh!
I will do as you
wish, my Lord.

흐흐흐…
이런 일쯤이야…

Hhhhhh… this is
nothing…

잔인한 도엑은 서슴없이 아히멜렉과
제사장들을 쳐죽였어요.

With no hesitation, the cruel Doeg
killed Ahimelech and the other priests.

세… 세상에!
하나님을 섬기는 죄 없는
제사장들을 무참히 치다니…
This is terrible!
How could he so cruelly
strike the innocent priests
who serve God…?
오… 하나님!
이 죄를 어떻게
감당할꼬…!!
Oh Lord!
How can we bear this sin
we have witnessed?
키히힛… 누구든지 다윗을 두둔하는
자는 모조리 저 세상으로 보내 주마.
Kii hee hee… Whoever sides with David
will be sent out of this world all together.
크크큭
Kkkkkkk
퍽
Pow Pow
퍽

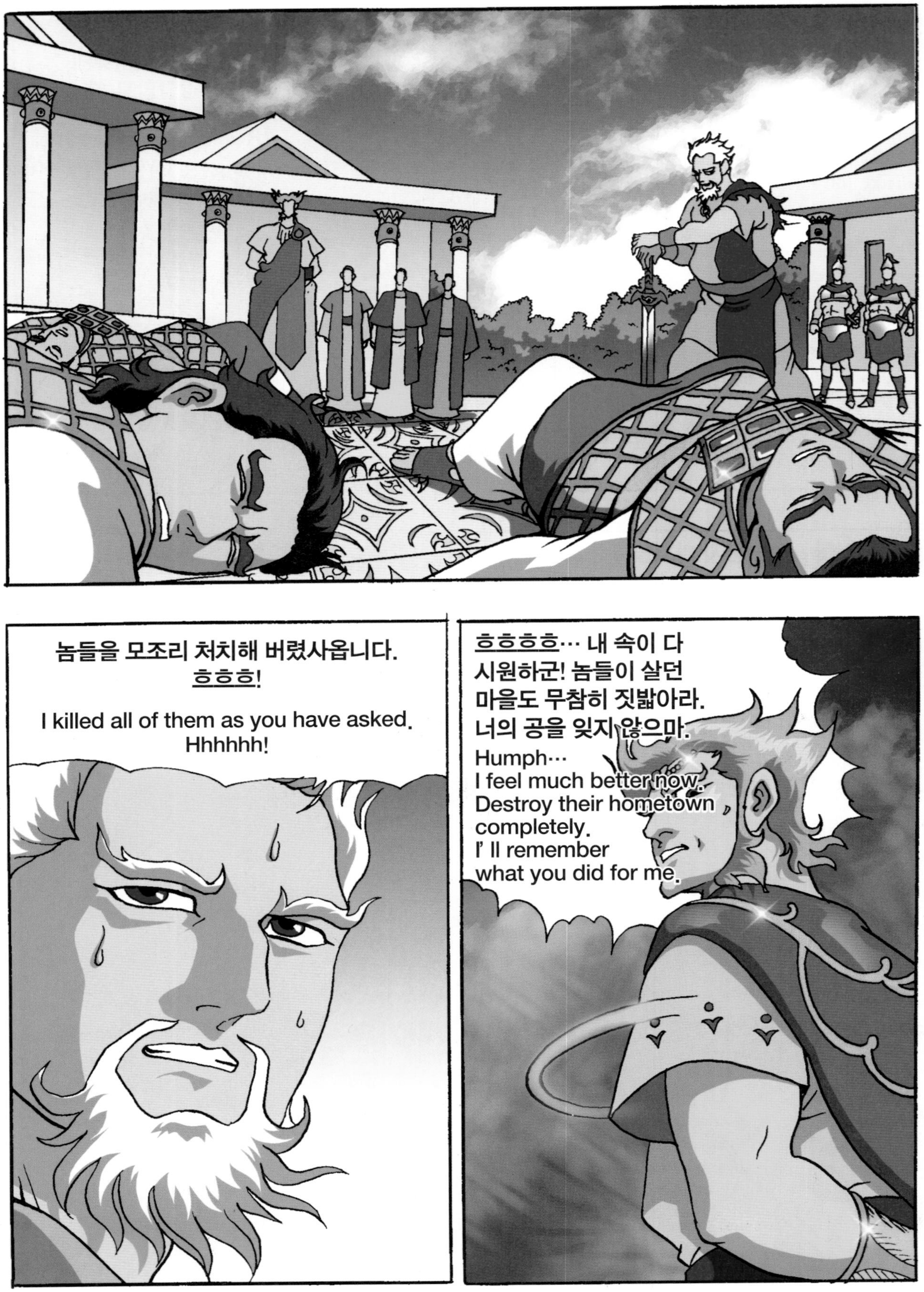

놈들을 모조리 처치해 버렸사옵니다.
흐흐흐!
I killed all of them as you have asked.
Hhhhhh!

흐흐흐흐… 내 속이 다
시원하군! 놈들이 살던
마을도 무참히 짓밟아라.
너의 공을 잊지 않으마.
Humph…
I feel much better now.
Destroy their hometown
completely.
I' ll remember
what you did for me.

그날, 하나님을 섬기던
거룩한 제사장들이 무려 85명이나
애꿎은 죽음을 당했어요.
On that day, 85 consecrated
priests who served God were
innocently killed.
우르르르…
Rumbling
한 줄기 거센 빗줄기가 쓰러진 제사장들의 피와
뒤섞여 마치 피의 강이 흐르는 듯하였어요.
Slowly, it started to rain on the bodies of the
priests and as the rainwater mixed with the
blood of the bodies, it formed a bloody river.
쏴아아아아…
Whoooooooooosh
오 하나님… 저들을 용서하시옵소서…
용서하시옵소서…
Oh God… please forgive them…
forgive them.

이스라엘의 어수선한 틈을 타 블레셋 군사들이
추수 무렵의 크일라 지방을 약탈하고 있었어요.
As Israel had been unstable,
the Philistine soldiers plundered the town
of Keilah at the harvest.
키히히… 이 곡식과
기름은 모조리 우리가
가져간다.
Kii hee hee… The oil
and grain is all ours.
안… 안 돼!
이 천벌받을
놈들!
N… No!!
The heaven will
punish you!
흐악…!
Hhaaaaak…!
시끄럿!
천벌 같은 소리 하고
자빠졌네! 에익… 뒈져랏!
Stop speaking rubbish!
Down with you!
Pow

이 소식을 전해 들은 다윗은 간절한 마음으로 하나님께 기도드렸어요.

When David heard this news, he prayed to the Lord earnestly.

하나님이시여!
말씀해 주시옵소서…
부디 말씀해 주시옵소서!

Oh Lord!
Please tell me…
please tell me!

블레셋의 무례한 놈들이 크일라 지방의
양민들을 약탈하고 있습니다.
놈들을 쳐부수고 싶습니다.

The babaric Philistine soldiers are looting
the innocent people of Keilah.
I want to go and fight them.

제가 그쪽으로 가도 괜찮은지
말씀해 주시옵소서… 부디.

Please tell me if I should go
and attack them.

하나님께서는 다윗에게 크일라 지방의 백성들을 구해 주라고 말씀하셨어요.

Then, God told David to go to Keilah and save the people from the attack.

자! 급히 가서 크일라
지방의 백성들을 구해
주도록 하자.
We must hurry to save
the people of Keilah.

무슨 소립니까? 그것은 마치 호랑이의 입에 머리를 집어 넣는 것이나 다를 바 없습니다.
What are you talking about? That is suicidal!
그렇습니다. 너무 무모합니다.
That' s right. It' s a kind of a leap in the dark!

다윗님! 저희들이 여기에 숨어 있는 것으로도 조마조마한데 그렇게 드러내 놓고 행동한다는 것은 너무도 위험천만한 일입니다.
David! Here in hiding we are afraid. If we act with such publicity, we will surely be in grave danger.

부하들이 상황을 들먹이며 완강히 반대하자 다윗은 하나님의 뜻을 다시 한번 여쭤 보기로 하였어요.
The followers disagreed with David, so he decided to ask God again.
그러면 다시 한번 하나님의 뜻을 살피기 위해 기도해 보자.
Then I'll pray again to find out what God wants me to do.

하나님! 부하들이 두려워합니다. 분명한 하나님의 뜻을 가르쳐 주시옵소서.
Oh Lord! My men are afraid and I ask You to tell me exactly what to do.

다윗은 부하들의 반대와 주변의 어려운 상황에도 불구하고 오직 하나님께 간구하였어요.

Though David faced his men's disagreement and other difficulties, he only trusted in God.

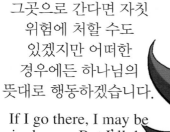

그곳으로 간다면 자칫 위험에 처할 수도 있겠지만 어떠한 경우에든 하나님의 뜻대로 행동하겠습니다.
If I go there, I may be in danger. But I'll do whatever is Your will under any circumstances.

하나님께서 다윗의 기도에 응답하셨어요.

God replied to David's prayer.

어서 빨리 크일라로 내려가거라. 블레셋군을 이길 수 있도록 도와 주리라.
Hurry to Keilah at once. I will help you defeat the Philistines.

하나님께서 겁내지 말고 크일라의 백성들을 구하라 하신다!
God told me not to be afraid, but to go and save the people of Keilah!

좋습니다! 저희들도 장군님과 죽고 사는 것을 함께 하겠습니다.

Yes sir!
We will fight with you, General.

우리의 생사를 오직 하나님께 맡기고 어서 그곳으로 가자!

We will entrust our lives to God, so let' s go there and fight!

다윗과 부하들은 블레셋군을 크게 격파하고
크일라의 고통받는 주민들을 구해 주었어요.
David and his men rescued the troubled people
of Keilah and crushed the Philistine soldiers.
와아아아아…!!
쳐랏!
Waaaaaah…!!
Charge!
와아와
waaaah waaa!
크일라 성에 다시금 평화가 찾아왔어요.
The city of Keilah gained peace again.

잠깐만요!

Just a moment!

다음 문제의 답을 알고 계시나요?

Do you know the answers to these questions?

3. 다윗은 아히멜렉 제사장에게 몇 덩어리의 떡을 부탁하였나요?
   How many loaves of bread did David ask for from Priest Ahimelech?

4. 아히멜렉 제사장은 다윗에게 누구의 칼을 주었나요?
   Whose sword did Priest Ahimelech give to David?

답은 맨 뒷장에서 확인하세요.
The answers are found at the back of the book.
말씀의 검
Jesus

위기 일발! 사울의 운명
A Close Call! Saul’s Fate

그게
틀림없는
사실이렷다?
Is that true?
분명히
다윗이
크일라 성에
입성했단
말이렷다?
You' re sure
David entered
the city of Keilah?
옛!
그렇습니다.
Yes!
It is true.
하나님께서
드디어 나에게
그놈을 붙여
주시는구나.
크흐흐…
So, God handed
me, that wretch
David at last.
Khhhh…

제 발로 성 안으로
들어오다니…
스스로 함정에 빠져들었군!
He actually went inside the city. He trapped himself!

성을 포위하기만 하면
다윗의 생포는 시간 문제닷!
Once we surround the city, it' s a matter of time to capture him!

서둘러 출동하랏!
절호의 기회를 놓칠 순 없다.
Let' s move out quickly! We cannot lose the best opportunity to catch him.

하앗…!!
Haaaaaaat…!!
콰
Kkwaa
Clip
Clop
Clip
Clop

하아앗!!
Haaaaaat··· !!
Clip
Clop
Clip
Clop

전령이 오고
있사옵니다.

A messenger is
coming our way.

다그닥

Clip-clop

다그닥

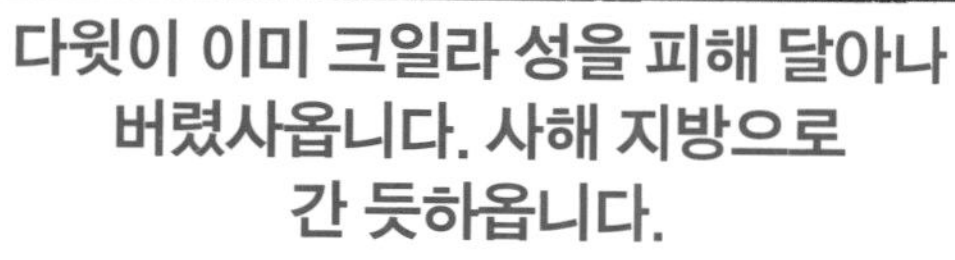

다윗이 이미 크일라 성을 피해 달아나
버렸사옵니다. 사해 지방으로
간 듯하옵니다.

David has already left Keilah. He is going towards the Dead Sea.

으… 약삭 빠른 놈! 좋다. 세상
끝까지라도 놈을 추적한다. 출발!

Ugh… the sneaky little brat!
It' s all right. I will chase him
to the end of the earth.
Move out!

사울 왕이 아무리 날고 뛰더라도 이곳을 찾지는 못할 것입니다.
Even if King Saul could fly, he won't find us here.
이 험준한 곳에 오르는 일은 웬만한 사람으로선 꿈도 못 꿀 일이니까요.
Most people would not even dream of climbing up such a steep cliff.
들염소들이나 겨우 다닌다고 해서 '들염소 바위' 골짜기로 이름난 계곡이지요.
Only wild goats come here, so this valley is called 'the Crags of the Wild Goats'.

아니? 저… 저것은?
What the?
What' s that over there?
으헥! 사… 사울 왕이다. 어서 피하십시오, 다윗님!
Oh, no!
It' s… it' s King Saul.
Let' s get out of here,
Sir David!
Clip Clop
빨리 동굴 안으로 몸을 숨기십시오. 어서…!!
Let us hide in the cave…Hurry…!!
흐이그… 참으로 지독하게 쫓아오는군!
Phew… They' re really gaining on us!

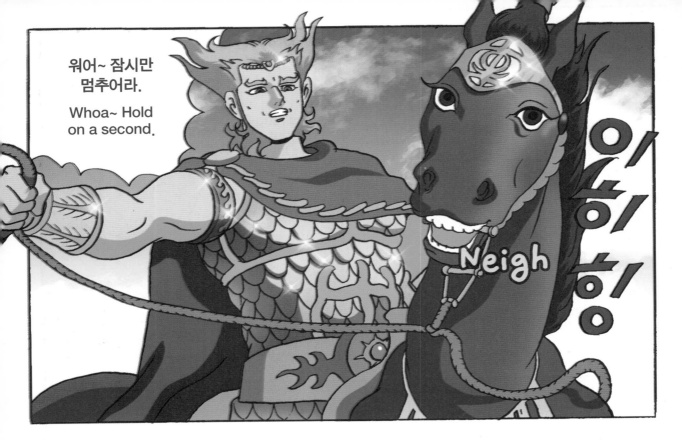

워어~ 잠시만
멈추어라.
Whoa~ Hold
on a second.

이히힝
Neigh

갑자기 뒤가
마렵군. 저 동굴
속에서 해결할 테니
기다리고 있거라.
I suddenly have to
relieve myself.
You wait here while
I take care of it in that cave.

때마침 거미 한 마리가
동굴 입구에서 부지런히
그물을 치고 있었어요.

Just as he was about to enter the cave, a spider was forming a web at the entrance.

만의 하나라도 동굴 안에
다윗이나 그 잔당들이 숨어
있기라도 하면
큰일이옵니다.

You' re going to be in
danger if David or his troops
are hiding in the cave.

제가 먼저 동굴 안을
수색해 보겠사옵니다.

I will enter and search
the cave first.

**다윗의 운명이 실로 위기 일발의
순간이 아닐 수 없었어요.**

**David' s life was really in
jeopardy at this very moment.**

하하하··· 별 걱정을
다하는 군.
Ha ha ha··· you
worry about the
littlest things.

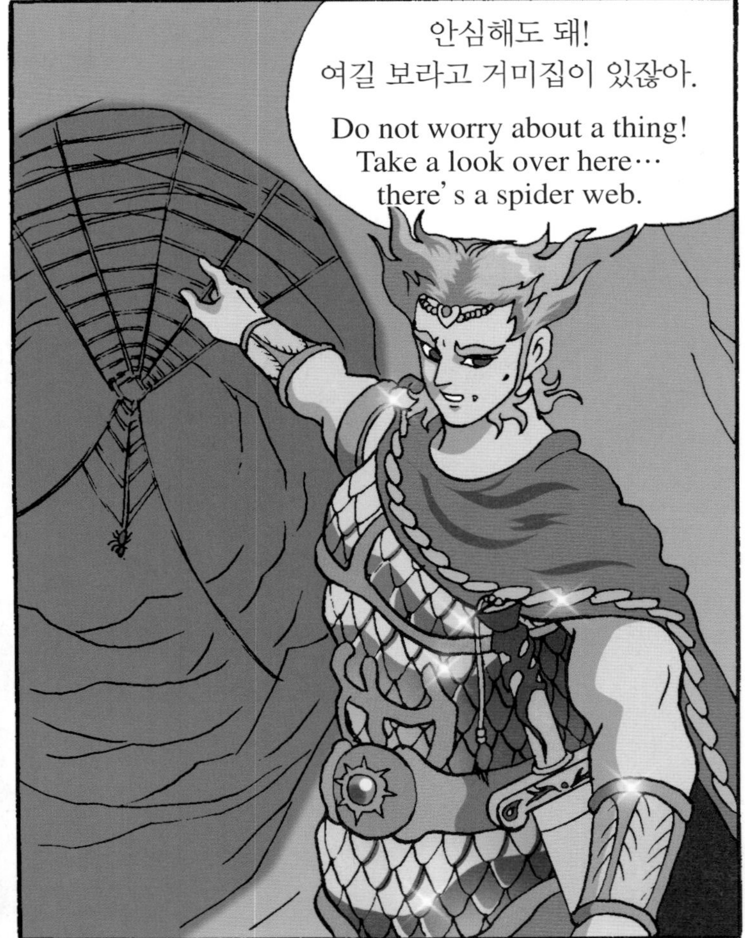

안심해도 돼!
여길 보라고 거미집이 있잖아.
Do not worry about a thing!
Take a look over here···
there' s a spider web.

사람이 드나드는
곳이면 거미집이
있을 리 없지!
걱정 말고 기다리게.
If people were coming
and going in this cave,
then there wouldn’ t be
a spider web! Take it
easy and just wait here.
옛! 대왕님
Yes, Your
Majesty!

하나님이 사울 왕을 제거할
기막힌 때를 허락하시는군요.
It seems God let you
dispose of King Saul.

하나님께서 기름 부어 세우신 분을
해칠 수는 없어!
We cannot harm God’s anointed!

무… 무슨 말씀이십니까? 이런 기회를
그냥 두다니 지금 제정신이십니까?
What… what are you talking about?
You are going to give up this great
chance? Are you in your right mind?

저분께 손을 대지 마라…
천벌받을 짓이다.
Don’t put a hand on him,
or you will get the divine
punishment.

끙…
…sniff
다윗은 사울 왕 곁으로 소리 없이 다가갔어요.
David slowly approached to King Saul, without making a sound.
다윗은 사울 왕의 옷자락을 살며시 베어 내었지만 사울 왕은 전혀 눈치를 못 채었어요.
David cut off a piece of King Saul' s robe without Saul noticing at all.
아… 아! 옷자락을 자르는 이 행위조차 얼마나 무례한 짓이냐… 아… 아…
Ah…! It' s such a disgraceful action, even cutting off a piece from his robe. Ugh… ugh…

사울 왕은 굴에서 나와
부하들과 함께 다시 다윗을
찾아 나서기 시작했어요.

King Saul left the cave and continued along with his men to pursue David.

왕이시여…!
어딜 그리 급히
가시옵니까?

Your Majesty…!
Where are you going
in such a hurry?

아니…!
이… 이게 무슨 소리냐?

What the…!
Who is it?

이히힝

Neigh

히힝

Neigh

아니…? 저곳은 왕께서
나오신 굴이 아니냐?

What the…?
Isn' t that the cave
the King came out of?

어찌하여 왕께서는 '다윗이 왕을 해치려 한다' 는 터무니 없는 소문을 곧이들으시는 겁니까?
Why do you believe the men who say "David is going to overthrow you"? There is absolutely no proof.
오늘 동굴로 들어오신 왕을 제가 해칠 수 있는 절호의 기회를 잡았었습니다.
Today, I had an opportunity to get rid of you when you entered the cave.
하오나 하나님께서 기름 부어 세우신 왕을 어찌 감히 그럴 수 있으랴 하며 왕을 아끼는 마음에서 제가 칼을 거두었습니다.
However, I could never harm the Lord' s anointed King. With respect for my King, I withdrew my sword.

보십시오! 여기 제 손에 왕의 도포 자락이
있습니다. 제가 왕을 해칠 마음이 추호도
없다는 걸 왜 모르시옵니까?

Look here! I have a piece of your robe.
Why don' t you believe that I would
never hurt you? You know···

아니…
정말이잖아?
Oh…
so it' s true.
오호! 진짜
왕의 도포
자락이군!
Wow! It' s
really a piece
of the King' s
robe!
하마터면 왕께서
꼼짝없이 당하실
뻔했군…
The King could
have been easily
killed on the spot…
사울 왕도 다윗의 말을 듣자
심한 양심의 가책을 느꼈어요.
As King Saul listened to David, he started to
get a guilty conscience.
으흐… 다윗아, 내가 잘못했구나…
Sniff sniff… David, I did wrong to you…

제가 왕께 잘못한 일이 없는데도
저를 잡아 죽이시려고 쫓아다니시니
어찌된 일입니까?

Why come do you keep chasing
after me and trying to kill me,
when I didn' t do anything wrong?

하나님께서 우리 사이를
판가름해 주실 것입니다.

The Lord will be the judge
for both of us.

제가 왕께 당하는 이 억울함을
하나님께서 풀어 주시겠지만,
제 손으로 왕을 해칠 마음은
전혀 없습니다.

The Lord will avenge my
suffering caused by you, my
King, but I will never have any
intention of hurting you.

왕이라는 귀한 신분으로 도대체
누굴 찾아 출동하셨습니까?

Who were you,
the royal King, looking for?

설마 죽은 개 한 마리를 찾기
위해 헤매시는 것은
아니시겠지요?

You are not wandering
to hunt for a dead dog,
are you?

왕께서 저를 해치고자
하셔도, 하나님께서는 저를
구해 주실 것입니다.

Even though you try to hurt
me, God will intervene and
save me.

네가 정녕 나보다 백 배 낫구나.
너를 그토록 못살게 굴었는데도
나에게 이렇게 잘 대해 주다니…
You are certainly 100 times better than I am. I made you suffer so much, but you showed such kindness to me…

원수를 만나 고스란히 돌려 보낼 사람이 또 어디 있겠느냐?

Who lets their enemies go free if they catch them?

하나님께서 나를 제거할 기회를 주셨는데도 그냥 보내다니 정녕 하나님의 복을 받으리로다!

God gave you a chance to do away with me, but you let me go! God will surely bless you!

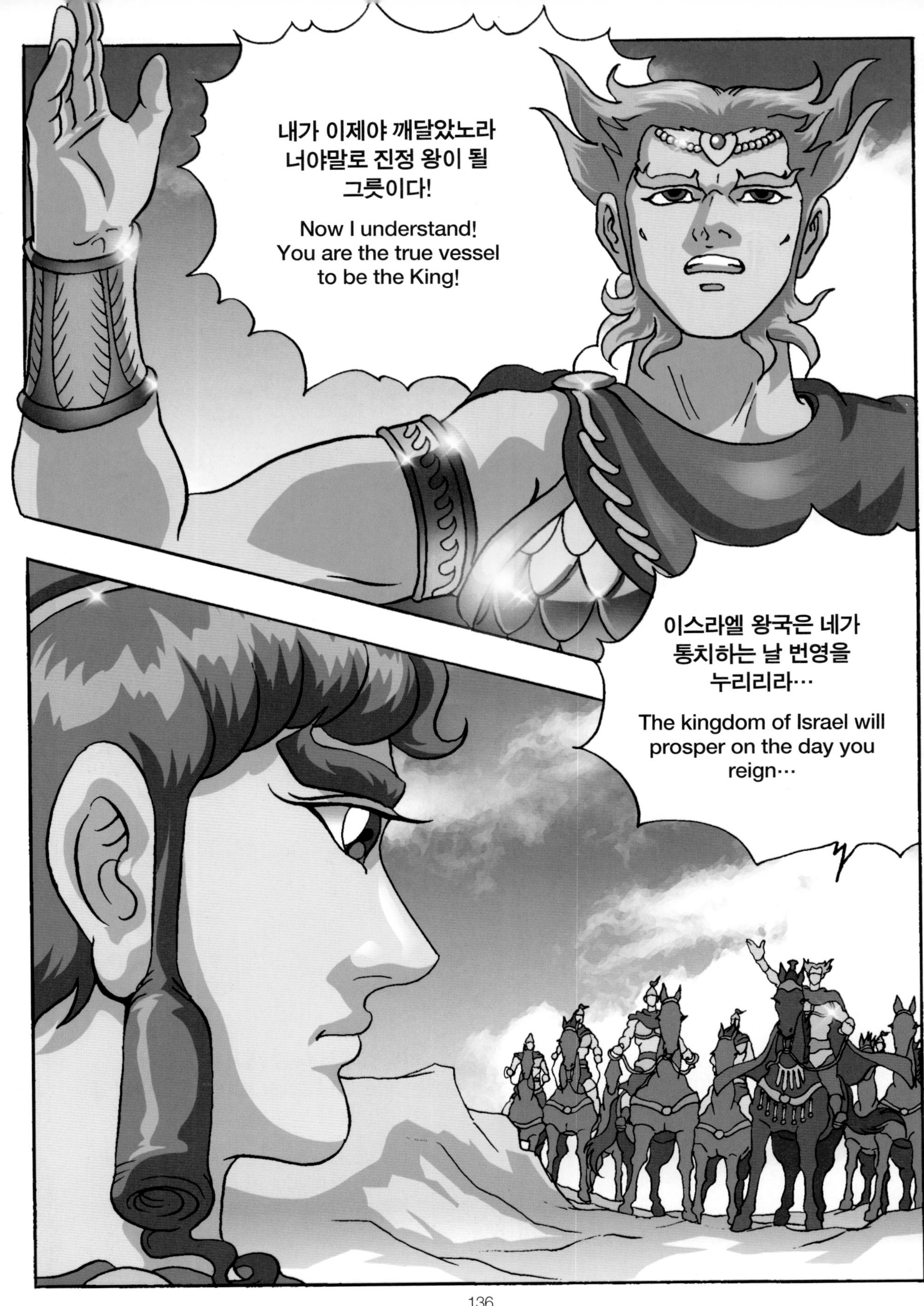
내가 이제야 깨달았노라
너야말로 진정 왕이 될
그릇이다!
Now I understand!
You are the true vessel
to be the King!
이스라엘 왕국은 네가
통치하는 날 번영을
누리리라…
The kingdom of Israel will
prosper on the day you
reign…

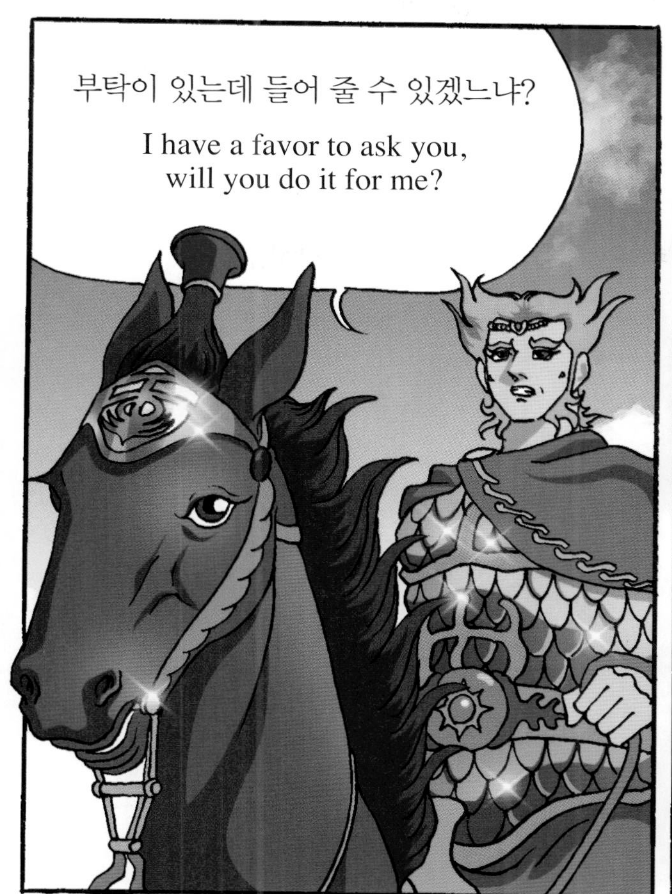

부탁이 있는데 들어 줄 수 있겠느냐?
I have a favor to ask you, will you do it for me?

말씀하시옵소서, 왕이시여!
Please speak, Your Majesty!

하나님의 이름으로 맹세해 다오, 네가 왕위에 오르는 날 내 후손들을 끊어 버리지 않겠다고…

You promise me, with the Lord as a witness, that you will not cut off my descendants when you become King.

내 이름을 가문의 족보에서 제명시키지 않겠다고 말이다.

And, please make sure that you will not wipe out my name from my genealogy record.

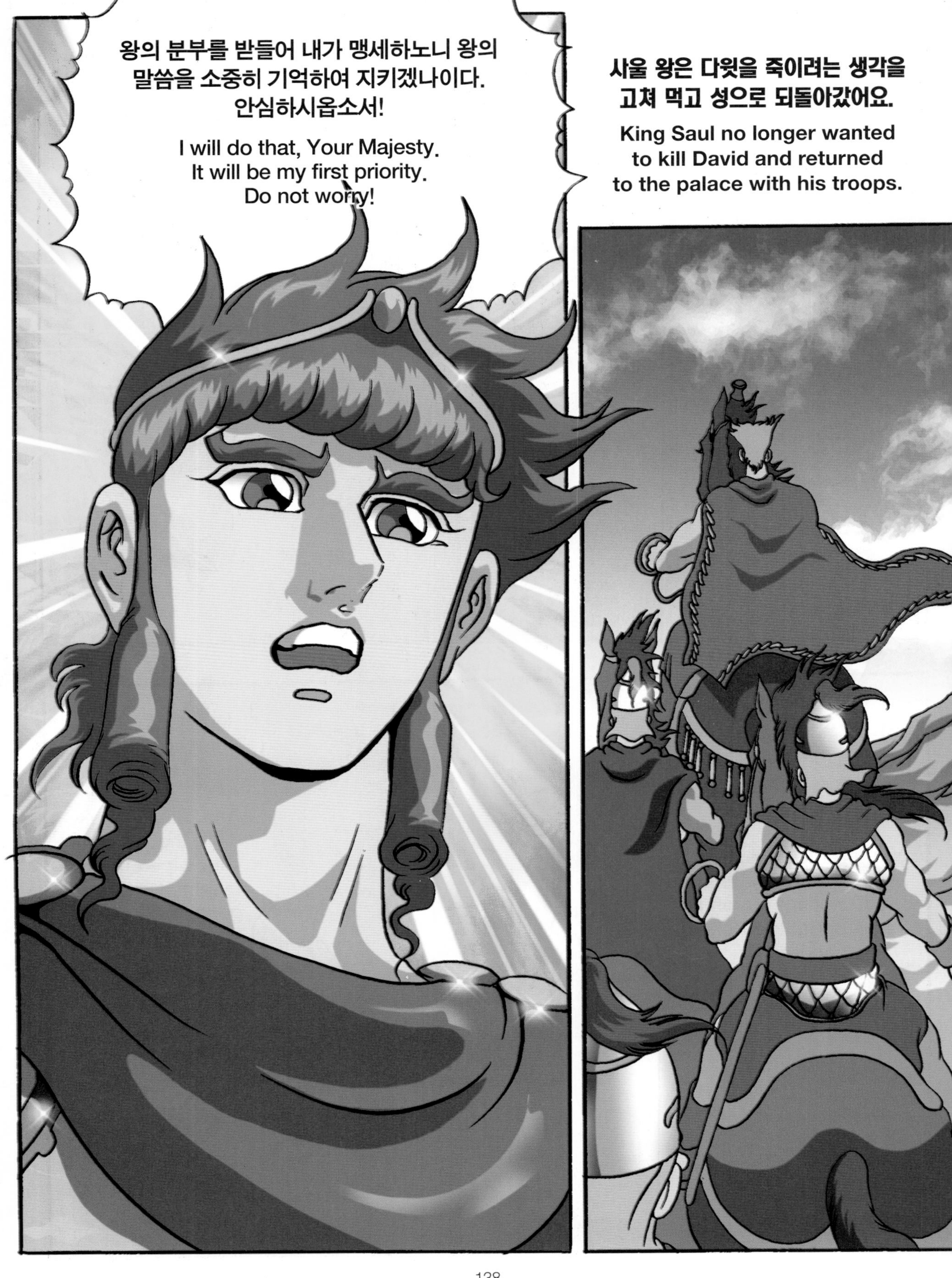
왕의 분부를 받들어 내가 맹세하노니 왕의
말씀을 소중히 기억하여 지키겠나이다.
안심하시옵소서!
I will do that, Your Majesty.
It will be my first priority.
Do not worry!
사울 왕은 다윗을 죽이려는 생각을
고쳐 먹고 성으로 되돌아갔어요.
King Saul no longer wanted
to kill David and returned
to the palace with his troops.

이스라엘 백성들이 하나님 앞에서 올바르게 살기를
늘 기도하고 애쓰던 사무엘이 세상을 떠났어요.
Samuel died. He had prayed long and
hard for the people of Israel so that they
would live doing what is right in God' s sight.
나라의 정신적 큰 기둥인 사무엘의 죽음을
온 국민이 애도했어요.
All of Israel was mourning over Samuel' s
death, for he was the great spiritual leader
for the nation.

다윗과 그를 따르던 600여 명의 부하들은 거친 산악 지대에서 여전히 사울 왕을 피해 살았어요.

David and his 600 men lived in a rough mountain area, avoiding King Saul.

사울 왕은 자기를 살려 준 다윗에게 잠시 고마워하는 마음을 나타내기도 했지만 여전히 다윗을 죽이려고 혈안이 되어 있었어요.

King Saul was briefly thankful to David for sparing his life, but was still bitter towards him that he did not give up killing David.

어느 날 다윗이 참모들과 함께 주변 지대를 살피던 중이었어요.

One day, David and his men were patrolling the mountain area.

다윗님! 이곳에 나발이라는 사람이 살고 있는데 매우 큰 부자입니다.
Sir David! A wealthy man named Nabal lives in this area.

가서 양식을 좀 얻어 오는 게 어떨까요?
We should go ask him for some food?

지금 저희들의 수중에 먹을 것이 거의 없어 앞으로는 굶어야 할 판입니다.
We are almost out of food, and at this rate, we will starve.

그래…
우리가 나발의 양 떼와 목동들을 잘 보살펴 주고 있으니 인색하게 대하지 않겠지. 부하들을 보내도록 해.
Yes… we watched over his flocks and shepherds, so he won't be stingy. Send someone to him.

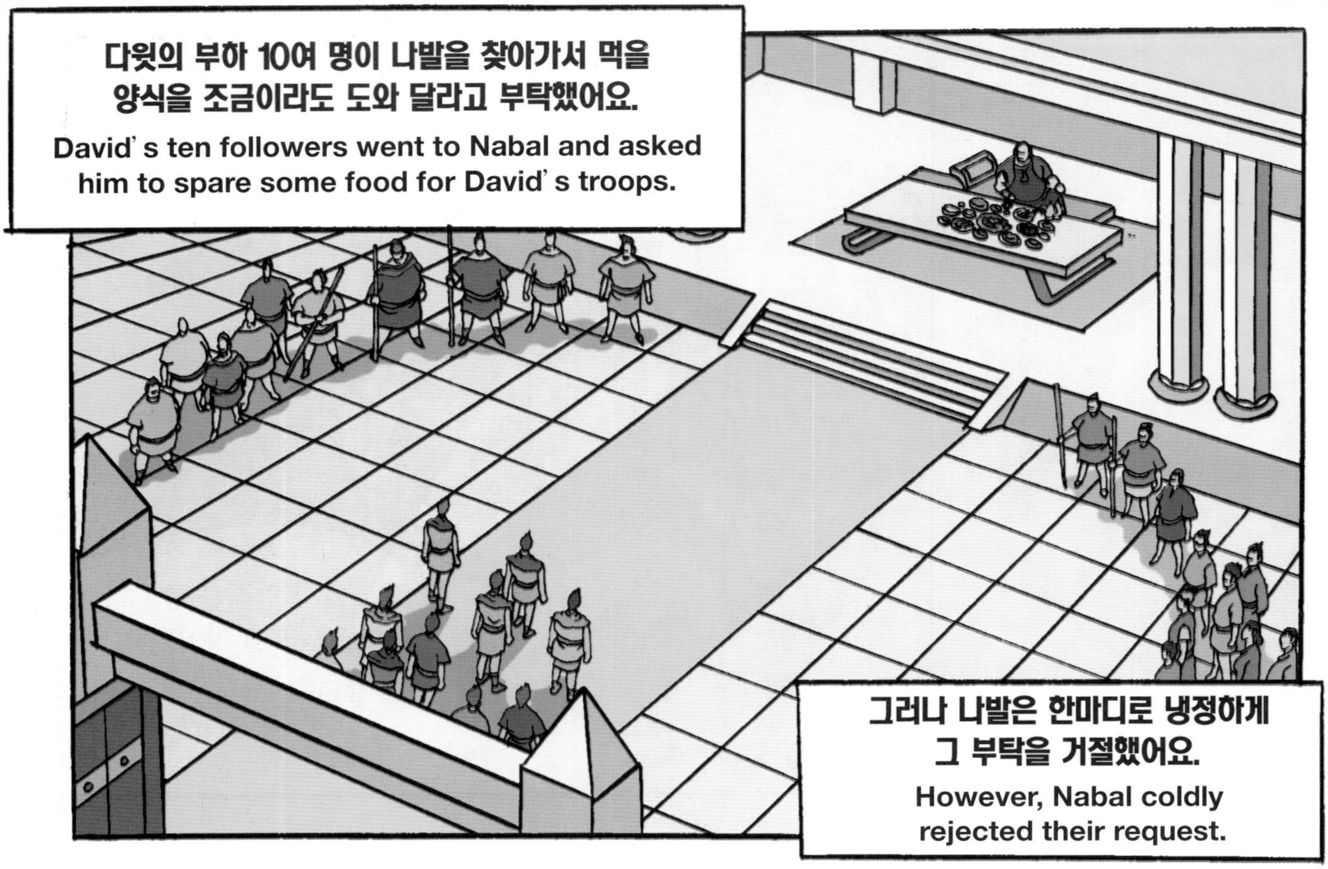

다윗의 부하 10여 명이 나발을 찾아가서 먹을
양식을 조금이라도 도와 달라고 부탁했어요.

David' s ten followers went to Nabal and asked him to spare some food for David' s troops.

그러나 나발은 한마디로 냉정하게
그 부탁을 거절했어요.

However, Nabal coldly rejected their request.

요즘 세상은 참으로 개판이란
말이야. 주인에게서
뛰쳐 나온 종놈들이 저마다
대장이 되겠다고 설치질 않나.

Nowadays, the world is in such a mess. Servants who broke away from their masters are being restless to become leaders themselves.

잘은 모르지만 다윗도 그런
망나니 중의 한 놈이 아니냐?

I don' t know much, but isn' t this David one of those lawless brats?

요즘 양털을 깎느라고 수고하는 나의
일꾼들에게 줘도 모자랄 술과 고기를 그런
개뼈다귀들한테 주다니 어림없는 소리다!
No way! I will never give those villains my wine
and beef which are not even enough for my
slaves, who are having difficulties at
sheep-shearing time!

내가 그렇게 어리석어
보이더란 말이냐?

Do you think I am
that stupid?

썩 꺼져라! 얼씬거리다가는
아예 다리 몽둥이를 분질러
주마, 이놈들아!

Get out of here!
If I see you around here
anymore, I will hurt you
all, jerks!

부하들의 보고를 받은 다윗은
불같이 노하였어요.

David was engulfed with rage
over his followers' report.

괘씸한 놈
같으니라고…
What a
wicked guy…

모두들
칼을 차라!

Everyone put
on your
weapons!

내가 광야에서 그놈의 재산을
수도 없이 지켜 주었는데 고작
이런 푸대접이라니…

I saved his properties
countless times in the wild,
and this unkindness is the best
he offers to us…

내일 아침까지 그 집안의 사내
녀석들을 한 놈이라도 남겨 둔다면
하나님께 무슨 벌이라도 달게
받으리라. 출동이다!
May God deal with me,
if by morning I leave
alive even one male of all
who belong to him.
Let' s move out!

한편 나발의 집에서는…
Meanwhile inside Nabal' s house…

마님… 마님…!
My lady… my lady…!

크… 큰일 났습니다요!
We have a big problem!

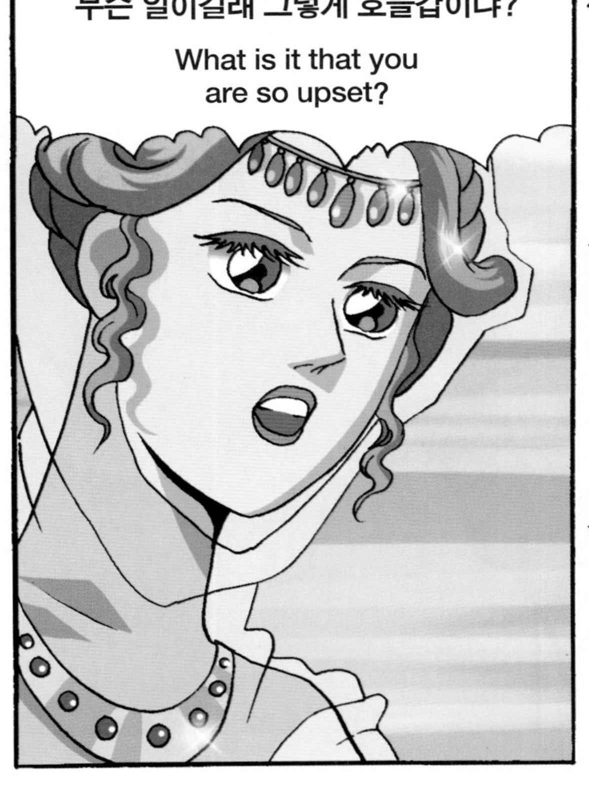

무슨 일이길래 그렇게 호들갑이냐?
What is it that you are so upset?

주인님께서 다윗의 부하들을 개 쫓듯 쫓아 버렸습니다.
The master expelled David' s men like dogs.

뭐? 언제 다윗님의 부하들이 우리 집에 왔었느냐?

What? When were they here?

마침 마님께서 우물에 가고 안 계신 사이에…

They came in when you were out at the well…

다윗의 부하 10여 명이 찾아왔었지요.

Ten of David' s men came to visit here.

그… 그래서?
Is… that so…?
어떻게 된 거니?
Then, what happened?

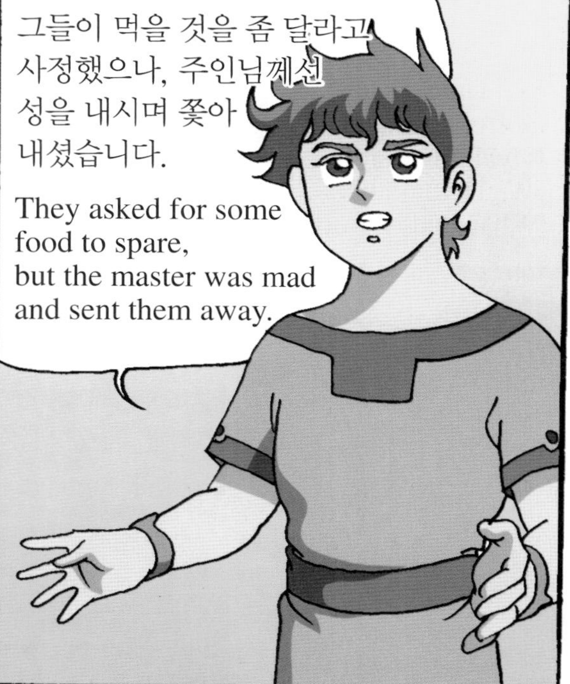

그들이 먹을 것을 좀 달라고 사정했으나, 주인님께선 성을 내시며 쫓아 내셨습니다.
They asked for some food to spare, but the master was mad and sent them away.

마님! 다윗님의 부하들은 좋은 사람들입니다. 우리가 들에서 양을 칠 때 우리를 잘 보살펴 주던 사람들입니다.

My lady! David and his men are good people. They took care of us when we were out in the field, tending the sheep.

다윗님이 주인어른의 행동에 대해 화가 나셨다면 정말 큰일입니다.

If David was angered by the master, that means a big trouble for all of us.

그 용맹스러운 분을 건드리다니… 앞이 캄캄합니다. 어쩌면 좋죠?

The master offended such a valiant man… We have no hope. What shall we do?

그래… 이건 보통 일이 아니로구나…

This is serious…

가만… 이러고 있을 때가 아니지…

Wait… This is not time to idle like this…

얘, 너는 주인님 몰래 살찐 양 다섯 마리를 끌고 오너라.
You, go to the field and get five fat sheep without the master knowing.
내가 서둘러서 요리를 맛있게 해야겠다.
I have to quickly cook something delicious.
예, 마님!
Yes, my lady!
후다닥...

아비가일은 서둘러서 정성껏 음식을 장만했어요. 떡 200개, 술 두 부대, 요리한 양 다섯 마리, 볶은 곡식 5자루, 건포도 100뭉치, 말린 무화과 200개를 포장하여 나귀에 나누어 실었어요.
Abigail made all the food swiftly. She prepared 200 loaves of bread, 2 skins of wine, and 5 dressed sheep, 5 seahs of roasted grain, 100 raisin rolls, and 200 cakes of pressed figs and loaded them onto donkeys.
너희들은 주인님 몰래 서둘러 떠나거라. 나도 곧 뒤따라가도록 하마.
You two leave without letting your master know. I' ll catch up to you later.

예! 마님께서도 빨리
오셔야 합니다.
Yes, maam!
Come quickly,
my lady!

하나님! 부디 다윗님의
마음이 풀어질 수
있도록 은혜를 베풀어
주시옵소서… 제발…
Oh Lord!
I pray that You would
help me to dissolve
David's anger.
Grant me your grace…
please…

아비가일은 하나님께 간절히
기도를 드렸어요.
Abigail prayed sincerely to
God.

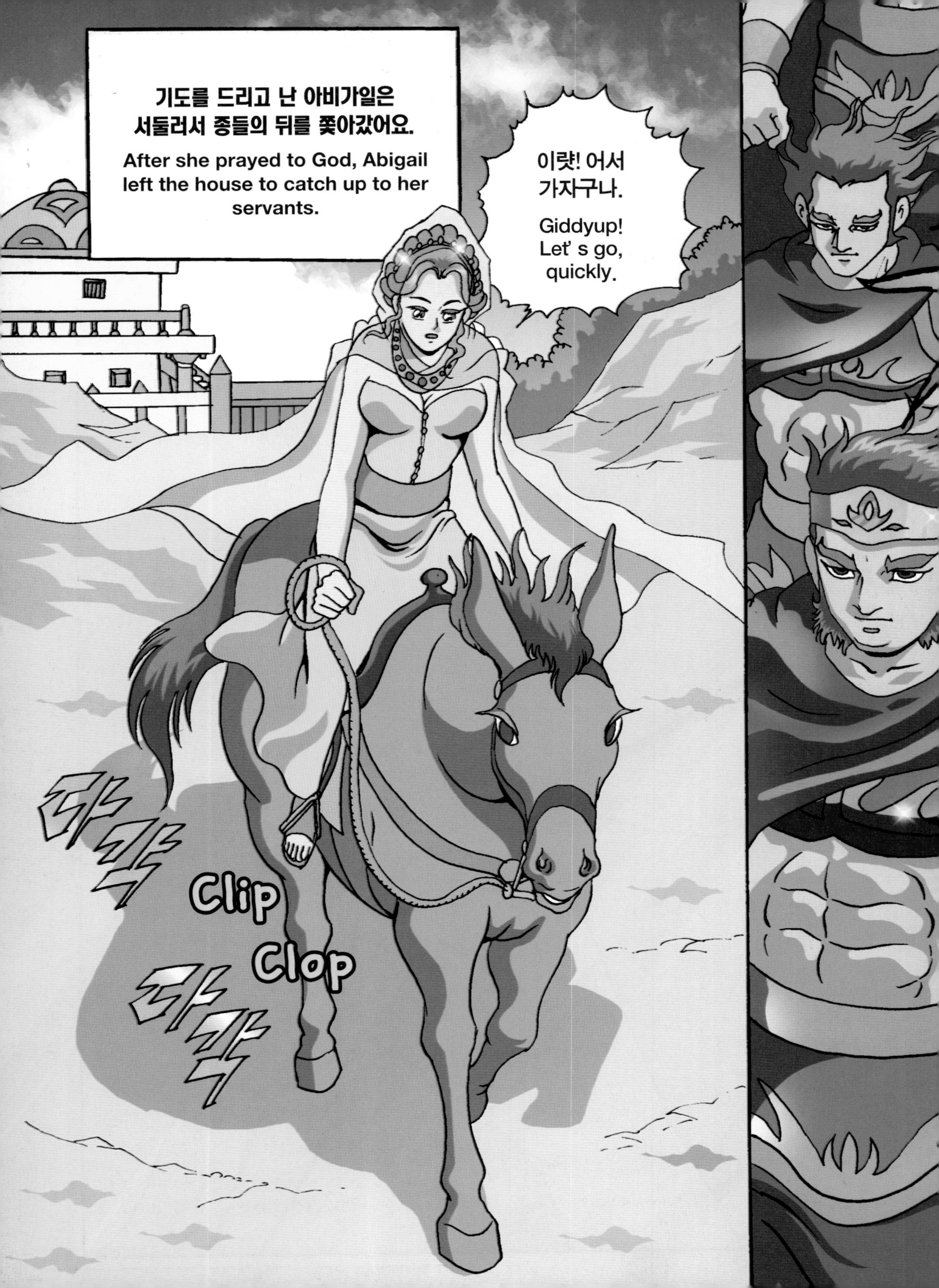
기도를 드리고 난 아비가일은
서둘러서 종들의 뒤를 쫓아갔어요.
After she prayed to God, Abigail left the house to catch up to her servants.
이랏! 어서 가자구나.
Giddyup! Let' s go, quickly.
다각
Clip
Clop
다각

무장을 한 다윗과 부하들이 나발의 집을 향해
급히 계곡을 내려오던 중이었어요.
Armed David and his men were rushing down
the valley toward the Nabal’ s house.

산굽이를 돌아 내려오던 아비가일과 종들은
달려오는 다윗의 용사들과 마주쳤어요.

At the bottom of the mountain, Abigail and her servants encountered David and his warriors.

아비가일은 급히 나귀에서 내려
다윗을 향해 엎드리며 애원했어요.
Abigail quickly got off her donkey, headed towards David, kneeled down and pleaded.
고귀한 분이시여! 미천한 이 몸이 자비를 청하옵니다.
Your Excellency! A lowly servant of yours ask you for mercy.

불쌍한 제 남편을 용서하시옵소서. 그는 자기의 이름처럼 미련하기 그지없는 바보입니다.
Please forgive my wretched husband, Nabal. Like his own name suggests, he is a helpless fool.
나발: '어리석은 자' 란 뜻.
Nabal : means 'fool'.
제가 높으신 분께서 보내신 부하들을 보지 못해서 큰 실수를 했으니, 부디 노여움을 푸시옵소서.
It was my fault that I did not see your men whom my lord had sent. Please calm your anger.

손수 원수를 갚기 위해
피 흘리는 일을 하지
마시옵소서.

Please do not seek
vengeance and have
bloodshed on your
hands.

하나님께서 다윗님을
이스라엘의 우두머리로
삼으실 터인데 이런 하찮은
일로 인해 두고 두고
마음에 걸리신다면
어찌하시겠습니까?

God will make you the
head of Israel, Your
Excellency. Why then
should this trivial revenge
keep pricking your
conscience later on?

그대의 말을 들으니
다소 마음이 풀리는군!
일어나시오.

I heard your words
and my anger is gone!
Please rise.

마음이 풀리신다니
그보다 더 다행한
일이 없습니다.

That's the only thing I
want to hear that you
are not upset with us.

얼마 되지는 않지만 제가 정성껏 준비한 음식입니다. 부하들에게 나눠 주십시오.

It may not be much, but I prepared some food for you. Let it be given to your men.

하나님께서 늘 높으신 분을 지키시는 줄 압니다.

I know that God is always looking over you, Your Excellency!

오늘 그대를 만나게 하신 하나님께 감사를 드립니다.
I thank God that I had a chance to meet you.
하마터면 내 손으로 살인을 할 뻔했는데 이렇게 말려 주셔서 정말 고맙소.
I nearly killed the people with my hands. Thanks for stopping me.

그대가 서둘러서 나를 만나지 않았던들 그대의 집안에서는 모든 사내가 내일 아침이 되기도 전에 남김없이 죽고 말았을 것이오.

If you had not come to see me, every male in your household would have been killed before the sunrise.

마음 푹 놓고 돌아가시오. 그대의 청을 들어서 칼을 거두겠소.
Go home in peace. I put down my sword now as you requested.

높으신 분이여!
진심으로 감사,
감사한 일이옵니다.

You Excellency!
I’m really grateful to
you from all my
heart.

하나님께서 분명히
당신을 이스라엘의
지도자로 삼으실
것입니다. 그때 보잘것
없는 이 몸을 꼭 기억해
주시옵소서.

I’ m sure that God will
make you the great ruler
of Israel.
Please remember me,
your lowly servant,
in your heart.

한편, 나발은 그런 일이 벌어지고 있는 줄은 꿈에도 모르고 마치 왕이나 되는 듯이 푸짐한 음식을 차려 놓고 거나하게 술을 마시고 있었어요.
In the meantime, unaware of what took place, Nabal was eating heartily and drinking in a great feast feeling like a King.
와하하하하! 기분이 아주 좋구나…!!
Wa ha ha ha! This is great…!!
와하하하
wa ha ha ha
나발님을 위해 잔을 듭시다. 자, 어서!
On behalf of Sir Nabal, let us feast and drink!
자… 부어라! 부어!
Have some more! Have more!

카하하하…! 술은 얼마든지
있으니까, 실컷 마시라구… 응?

Kya ha ha ha…!
Since we have plenty of wine,
drink as much as you want… eh?

아침이 되어 술이 깬 뒤, 아비가일이 나발에게 어제 있었던 일을 모두 얘기했어요.

When morning came and Nabal was sober, Abigail explained to Nabal everything that happened the day before.

어쩌자고 높으신 분을 몰라 보고
그분이 보낸 사자들을
푸대접하셨습니까?

How is it that you failed to recognize
noble David and treated so unkindly
those whom he had sent?

제가 정성껏 음식을 장만하고
달려가 그분의 마음을 풀어
드렸기 망정이지…
I subdued his anger by
providing him the food I
prepared.
하마터면 이 가문의
모든 사내들이
몰살당할 뻔하지
않았습니까.
If I hadn't done so,
every man in this
house would have
been killed.
나발은 아내의 말을 듣고는 그만 넋이 빠져
돌처럼 굳어 버리고 말았어요.
After Nabal heard everything that
his wife had said, his heart failed
him and he became like a rock.

열흘쯤 지나서는 아예 숨을 거두고 말았어요.
기름 부음을 받은 다윗을 모욕한
하나님의 벌이었어요.

Ten days later, he died. God punished him, because he insulted David, God' s anointed.

다윗은 이 소식을 듣고 하나님께 감사드렸어요.

After David heard this news, he thanked the Lord.

나를 욕하고
내 부하들을 모독한
나발을 하나님이
벌하셨구나.

God did away with Nabal; the one who insulted me and my men.

너희들은 가서 아비가일을
모셔 오너라.

Bring Abigail to me.

그토록 현숙한 여인을
또 어디 가서 찾을 수 있겠느냐.

Where else can I find a woman more virtuous than she.

다윗은 아비가일에게 자기 아내가
되어 줄 것을 요청했어요.
David asked Abigail to be his wife.
제 보잘것없는 힘이라도 필요하시다면 기꺼이 부하들의 발이라도 씻겨 드리도록 하겠습니다.
I am unworthy but if he needs me, I will serve him, even wash his men’s feet.
아비가일이 다윗의 아내가 되었어요.
Abigail became David’s wife.

그게 정말이냐?
What?
Is this true?

십 사람이 기브아에 와서 사울에게 고자질 했어요.
The Ziphites went to Saul at Gibeah and said.

예! 다윗이 분명합니다. 이 두 눈으로 똑똑히 보았사옵니다.
Yes! No doubt, it' s David. I saw him with my own eyes.

하길라 골짜기에 숨어 있는 이때를 놓치지 마시옵소서.
He is hiding at Hakilah. Don't lose this chance to get him.

여봐라!
Come soldiers!

옛!
말씀하시옵소서!
Yes,
Your Majesy!
Speak!

훈련이 잘 된
3,000여 명의
특공대를 선발하랏!
Take 3,000 highly
trained soldiers and
form a special
attack unit.
이번에야말로 반드시
다윗을 잡아야겠다.
출동이닷!
This time we will
surely capture David.
Move out!

사울 왕은 하길라 골짜기에서 야영을 하며
다음날 공격 준비를 위해 휴식을 취하고 있었어요.

Saul camped at the bottom of Hakilah and he was resting in order to attack in the morning.

누가 나와 함께
저 적진으로 뛰어
들겠느냐?
Which one of you men
wants to go with me to
the enemy camp?

아비새가 따라나서길 자청했어요.

Abishai came forward and volunteered to go with David.

제가
뒤따르겠습니다.
I will follow you.

하나님께서 사울 왕과 부하들을 깊이 잠들게 하셨으므로
다윗과 아비새의 침입을 아무도 눈치채지 못하였어요.

God made King Saul and his men sleep deeply, so no one realized David and Abishai had sneaked in.

아비새가 사울 왕의 머리맡에 있는
창을 뽑아 들었어요.
Abishai took out the spear
from bedside King Saul.
하나님께서 이 원수를
장군님 손에 넘겨
주셨습니다.
God has put this
enemy into your
hands, General.
이 창으로 단번에 땅에
박아 버리겠습니다. 두 번
째를 필요조차 없겠습니다.
I will strike him with this
spear into the ground
only once. I won' t need
a second stab.

안 돼! 큰일 날 소릴
하는구나.

No!
What are you talking
about?

이분은 어차피 여호와께
얻어 맞을 분이다. 때가
되어 죽든지 싸움터에
나가서 최후를
마치든지 할 분이다.

Anyway,
the Lord will strike him.
Either he will die in his
time, or he will be
killed in battle.

내가 이분께 손을 댄다면
하나님께서 내리시는 벌을
피할 수 없으리라.

If I put my hands on him,
I won't be able to escape
the wrath of God.

저기 있는
물병과 창만 갖고
가도록 하자.
For now, grab his
water jug and spear
and let's go.

다윗과 부하는 조심스레
사울 왕의 진영을 벗어났어요.
David and his follower left
Saul's campground.
다윗은 건너편 산에 올라
사울 왕의 진영을 향해
소리쳤어요.
As David went up on the
opposite mountain, he
yelled to Saul' s
campsite.
아브넬 사령관은 듣거라!
Listen to me,
Commander Abner!

아니…? 꼭두새벽에
이건 또 무슨 소리냐?
What is that noise,
this early in the morning?

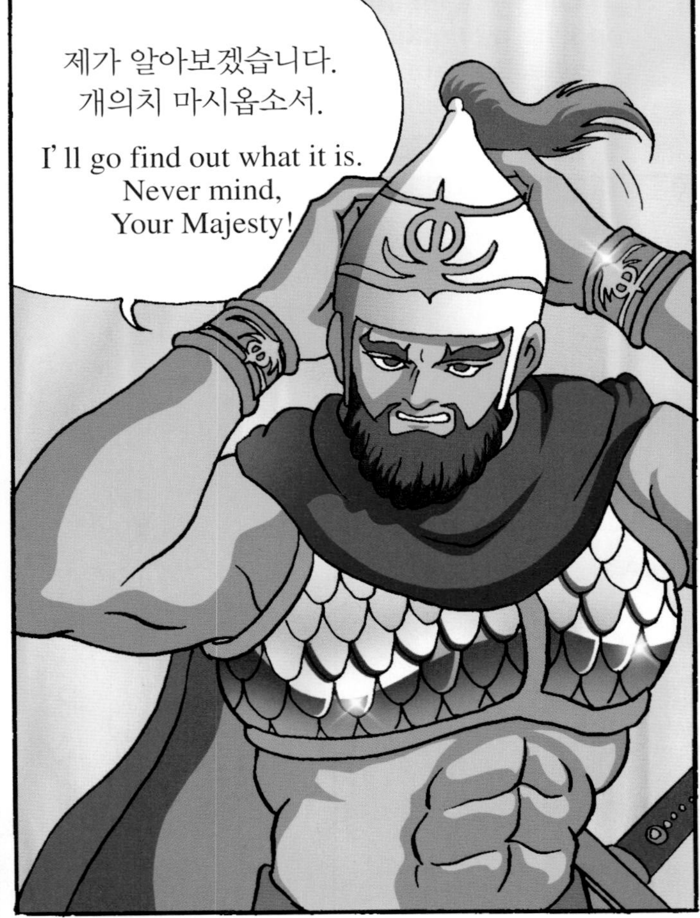
제가 알아보겠습니다.
개의치 마시옵소서.
I' ll go find out what it is.
Never mind,
Your Majesty!

어디서 난 소리야?
Where did that voice come from?
저기닷!!
Over there!!
아브넬 장군은 다윗을 발견하고 소스라치게 놀랐어요.
General Abner had spotted David and was astonished to see him.
아… 아니? 저놈은?
What the? That wretch…?

흐억!
다윗이잖아?
Ack!
It' s David?
스스로 우리 앞에
모습을 드러내다니
대담 무쌍하군.
He appeared before us
in person,
he is totally reckless.

네놈이 죽고싶어
환장을 했느냐?
감히 왕이 계신
곳에서 큰소리를
치다니!
Are you anxious
to die? How dare
you shout in the
King' s presence!

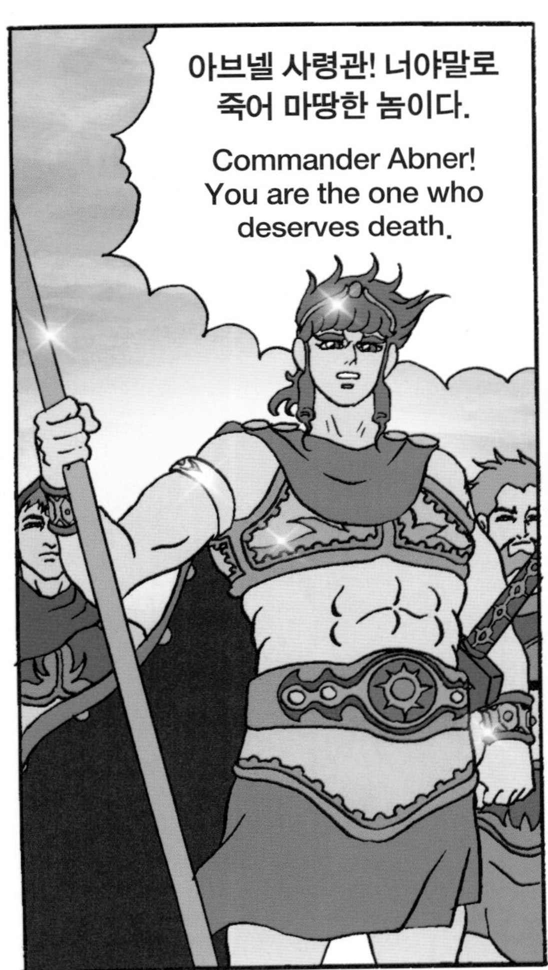
아브넬 사령관! 너야말로
죽어 마땅한 놈이다.
Commander Abner!
You are the one who
deserves death.

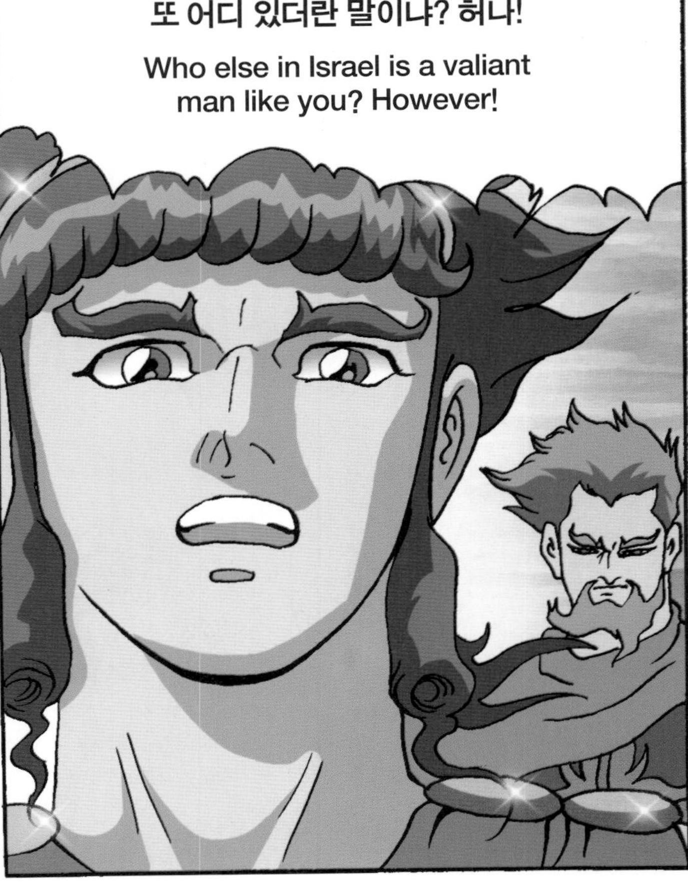
이스라엘에서 너같이 용맹한 자가
또 어디 있더란 말이냐? 허나!
Who else in Israel is a valiant
man like you? However!

우리 군사가 왕을 살해하려고 너의 진영으로 몰래 스며들었는데도 그것을 눈치조차 채지 못한 주제에 무슨 돼먹지 못한 소리냐?
How can you speak so arrogantly? You didn' t even notice that my soldier had secretly crept into your camp in order to murder your master.
감히 뉘 앞에서 허튼 수작이냐? 무슨 근거로 그런 말을 하는 거냐? 엉!
In whose presence are you babbling? What gives you the right to talk like that? Huh?
왕의 머리맡에 있던 창과 물병이 어디 있는지 한번 찾아보아라.
Try to find the water jug and spear that were bedside the King.
하나님이 기름 부어 세우신 왕을 지키지 못한 네놈이야말로 죽어 마땅한 줄을 모르느냐?
You know, you deserve to die because you failed to guard God' s anointed King!

물병과 창을 가져가다니…
설마 그럴 리가…
Someone took the water jug and spear…
that' s not possible…
내가 저녁에 분명히
보았는데…
I' m sure I saw
them last night.

흐엑?
저… 정말 창과 물병이
없어졌어. 맙소사!

Huh?
The spear and water
jug are really gone!
Good grief!

이제 보니 다윗이로구나…?

Is that you David…?

그렇사옵니다.
왕이시여… 어찌하여
이놈을 잡으러
오셨사옵니까?
Yes it is, Your Majesty!
Why are you here?
You want to capture me
again?

제가 도대체 무슨 짓을 했단 말이옵니까? 무슨 흉계를 꾸몄길래 저를 잡아 죽이지 못해 이토록 안달이시란 말이옵니까?

What did I do? What evil plot am I guilty of that you are so anxious to have me killed?

만약 제가 왕의 손에
죽는 것이 하나님의 뜻이라면
저는 기꺼이 죽도록
하겠사옵니다.

If it is the Lord' s will for me
to die at your hands,
then I will die gladly.

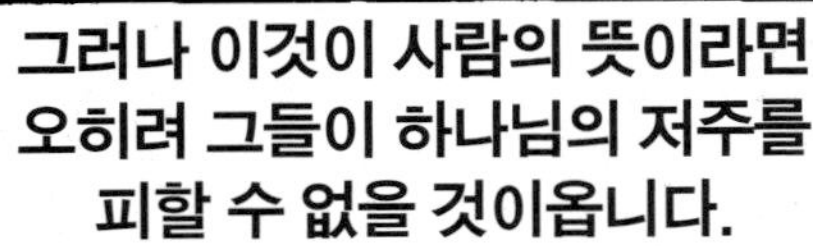

그러나 이것이 사람의 뜻이라면
오히려 그들이 하나님의 저주를
피할 수 없을 것이옵니다.

But if it' s men' s will to harm me,
then they won' t escape from God' s
punishments.

그들은 지금 하나님이 주신 이 땅에서
나를 몰아 내려고 안달이옵니다. 다른 신을
섬기라고 부추기고 있사옵니다.

They are just trying to get rid of me from the
land God has given us. They are trying to
make me serve other gods.

왕이시여…
제가 여기서 피 흘려
싸우길 원하시옵니까?

Your Majesty…!
Do you wish to fight
me here, shedding
blood?

진정…
그것이 왕의
뜻이옵니까?

Is that… what you
want?

다윗아… 내가
잘못하였노라.
David,
I was wrong.

네가 오늘
또다시 나를
살려 주었는데,
내가 너를 어찌
해치겠느냐…
Today, you
spared
my life again,
why would I
harm you…

여기 왕의 창이 있사옵니다. 부하 한 명을 보내 가져가게 하십시오.
Here is your spear. Let one of your men come over and get it.
하나님께서는 누구든지 참되게 살기만 하면 그대로 갚아 주시는 분입니다.
Whoever is honest and true to the Lord, he will be rewarded by Him.
whack
콱
제가 오늘 왕의 목숨을 귀하게 여겼듯이 하나님께서도 저를 귀하게 여겨 온갖 재난에서 돌보실 것입니다.
Just as I honored your life today, God will honor me and save me from all troubles.

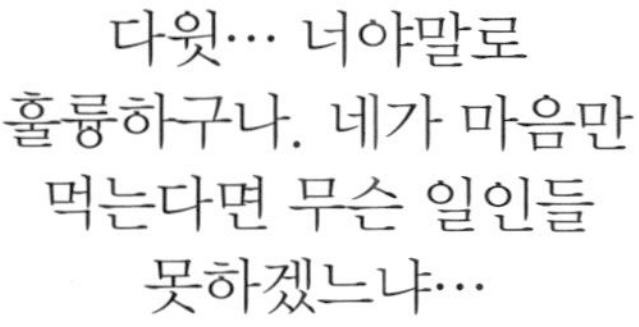

다윗… 너야말로
훌륭하구나. 네가 마음만
먹는다면 무슨 일인들
못하겠느냐…
David…
You are truly great!
You can do anything if
you set your mind to it.

네게 복이 있을지로다. 네가 큰 일을
행하겠고 반드시 승리하리로다! 정녕
하나님이 너와 함께 하시리로다!

May you be blessed!
You will do great things and will surely
triumph! The Lord is certainly with you!

잠깐만요!
Just a moment!

다음 문제의 답을 알고 계시나요?

Do you know the answer to this question?

5. 사울 왕의 명령을 받고 제사장들을 학살한 사람은 누구인가요?
Who slaughtered the priests under King Saul's order?

답은 맨 뒷장에서 확인하세요.
The answer is found at the back of the book.

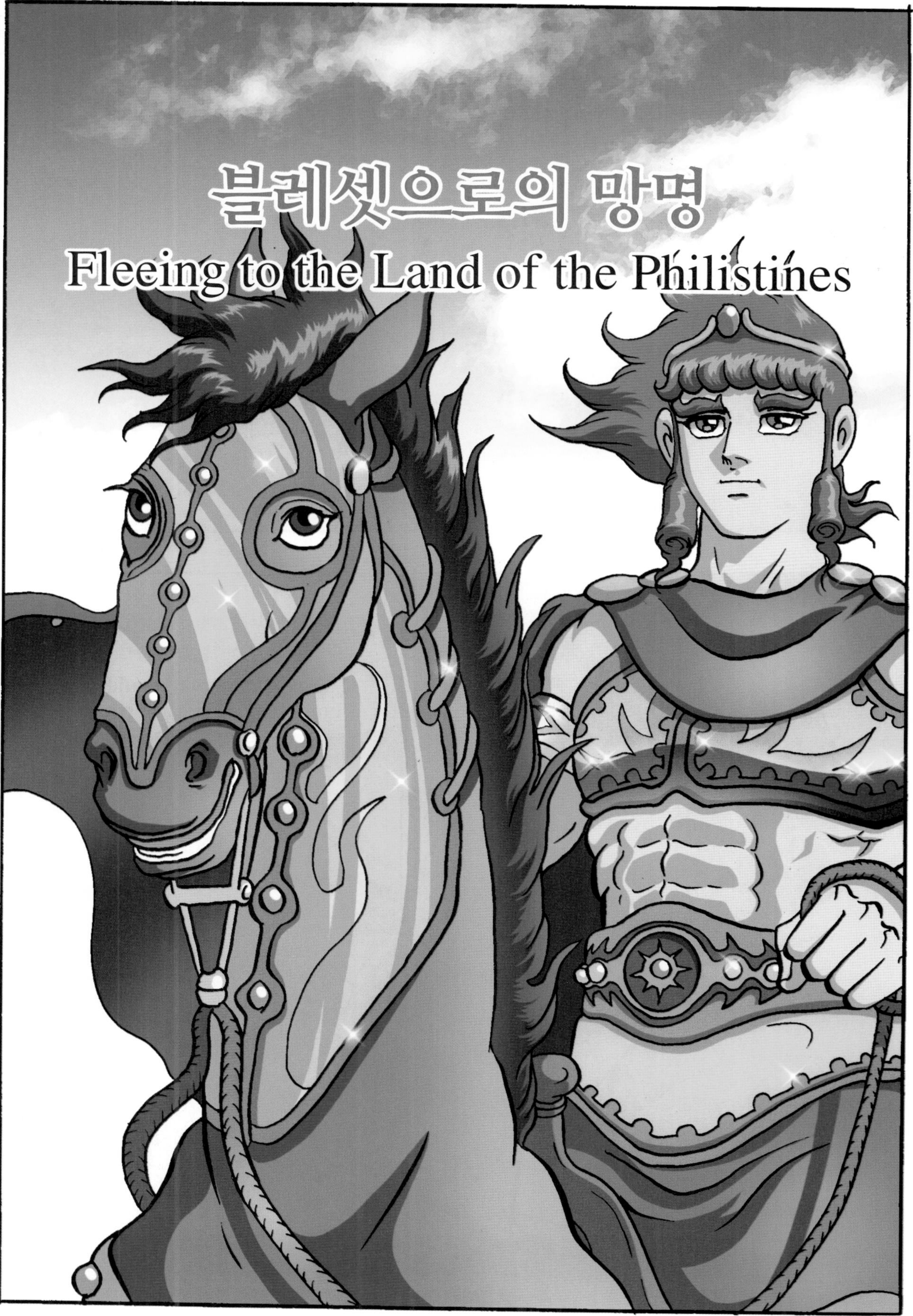
블레셋으로의 망명
Fleeing to the Land of the Philistines

다윗은 사울 왕과의 빈번한 마찰을 피하기 위해
참모들과 작전 회의를 진행했어요.

David and his officers held a meeting to from a plan to
avoid the repeated feuds with King Saul.

내 생각엔 아무래도
잠시 이곳을 뜨는
것이 좋겠소.
I think we should leave
this area for a while.

저희도 동감입니다.
사울 왕이 손을 뻗을 수 없는 곳으로
피하는 것이 좋겠습니다.
I agree. I think we should go to
somewhere Saul can' t reach us.

음… 어디가
좋을까?
Hmmm…
Where should
we go?

블레셋의
아기스 왕에게
은신처를 부탁하는 게
좋겠습니다.
King Achish' s territory in
the Philistine land would
be good place.
We should ask him.

나도 동감이오!
I agree!

사람을 보내어 아기스
왕에게 나의 뜻을
알리시오.
Send some people to
Achish and let him
know of my request.

하하하… 염려 놓으시오.
지금은 그때와는 사정이
많이 달라졌소.
Ha ha ha…
Do not worry.
The situation has changed
a lot since then.
그렇습니다. 지금은 이스라엘뿐만
아니라 블레셋에서도 다윗님을 매우
훌륭한 지도자로 평가하고 있습니다.
That' s true! Not only in Israel,
but even in the land of the Philistines,
you are highly regarded
as a great leader.

게다가 우리에게는
600여 명의 뛰어난
병사들이 있소.
Furthermore,
we have 600 outstanding
troops on our side.

아무렴!
우리 병사 한 명은
블레셋 군사 10여 명과
맞먹는 자들이라
블레셋 왕도 깔보지
못할 것이오.
Anyway!
Since one of our
men is equal to 10
Philistine soldiers,
the King of the
Philistines won' t
despise us.

그럼 우리가
블레셋으로 잠시
망명하는 것으로
결론 내겠소.
Then it' s decided.
We will escape to the
land of Philistines for a
brief time.

블레셋의 아기스 왕과 신하들은 다윗이 보낸
사신의 요청을 검토하고 있었어요.
In the land of Philistine, King Achish and his
officials were examining the request brought
by the envoy David had sent.
다윗이 잠시 우리나라로 와
지내겠다고 공식적으로
요청하는데, 대신들의 생각은
어떠한가?
Publicly, David requested me
to let him stay in our country
for a while.
What are your views?

알아본 바에 의하면
다윗은 이스라엘 백성들이
사울보다 더 훌륭한 지도자로
인정하고 있었사옵니다.

According to our information,
David is regarded as a better
leader than Saul
by the people of Israel.

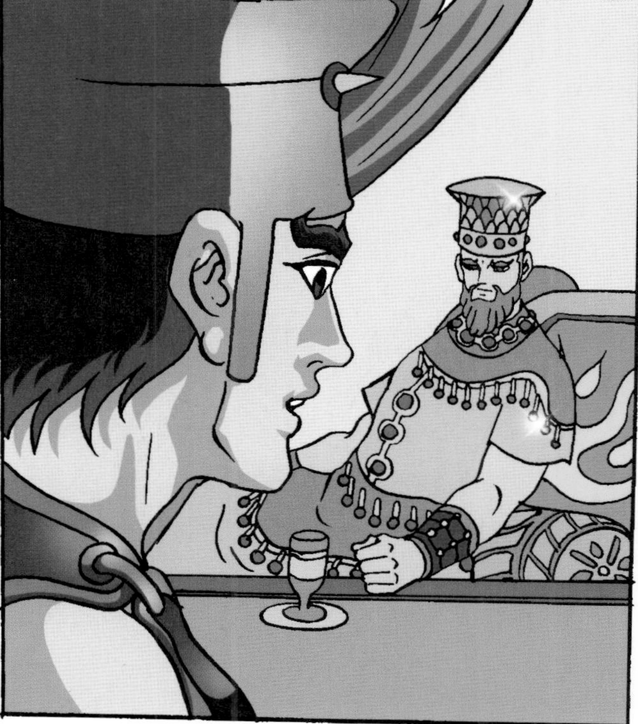

장차 이스라엘의 왕이 될지도 모를 인물이오니 그 자의 부탁을 들어 주는 것도 좋을 듯하옵니다.
He may become the King of Israel one day. We think it is a wise decision to grant his request.

좋소! 대신들의 의견이 그러하니 그의 요구 조건을 흔쾌히 들어 주겠소.
All right! According to your opinions, I will grant David his request.

아기스 왕은 다윗의 요청을 받아 들여 블레셋으로 망명하는
다윗과 부하들을 반갑게 맞이하였어요.
King Achish accepted David' s request and welcomed
David and his followers into the Philistine land.
왕이시여!
이렇게 맞아 주시니 대단히 감사하오.
Your Majesty!
I thank you for welcoming me!

진정한 지도자가 유랑의 신세로 지내다니
애석한 일이오. 나의 영토에서 마음 놓고
쉬시면서 앞날을 설계하시오.
It is regrettable to see a great leader
not having a home. Take a rest as long
as you want in my territory and
prepare yourself for the future.

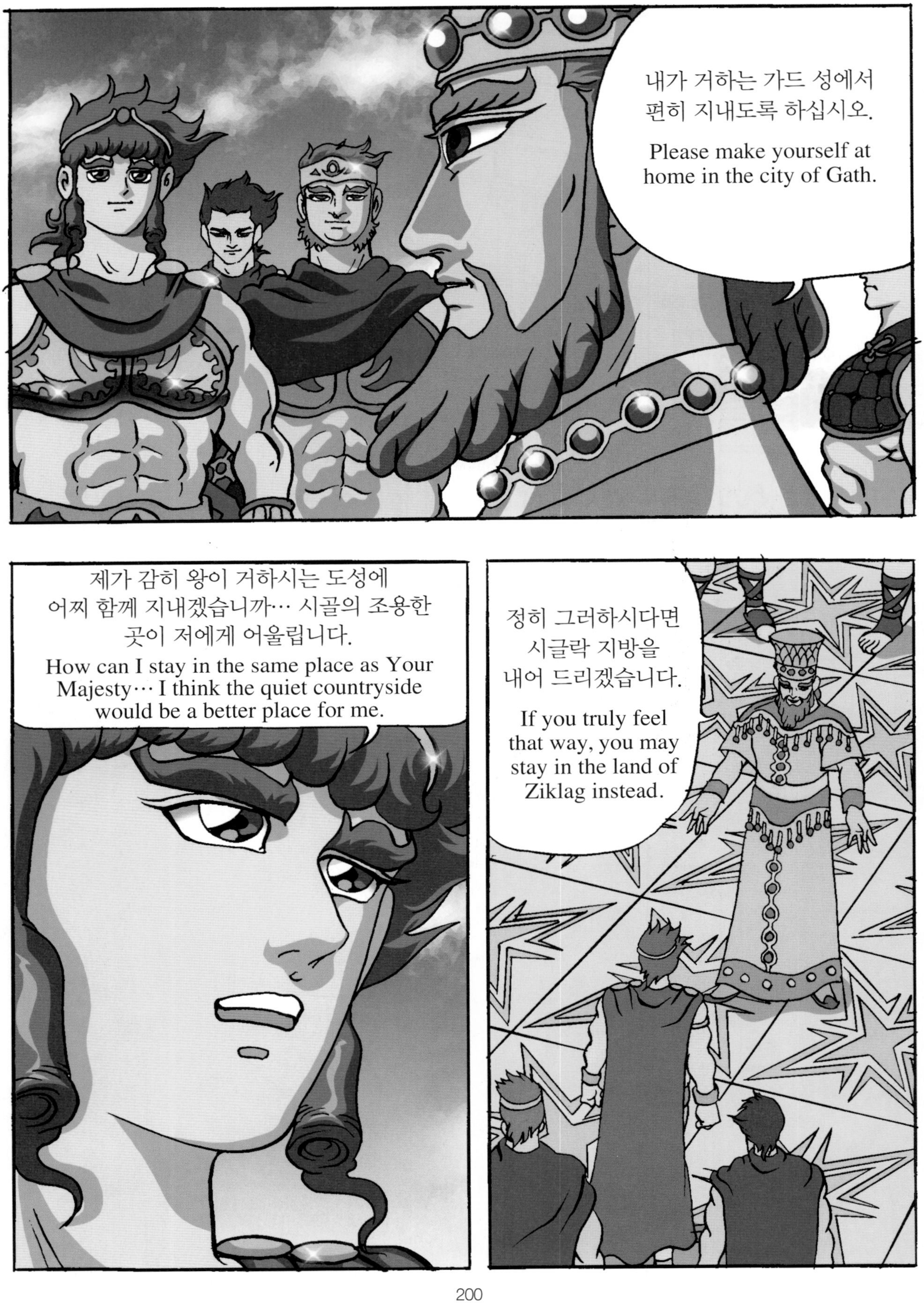

내가 거하는 가드 성에서
편히 지내도록 하십시오.

Please make yourself at
home in the city of Gath.

제가 감히 왕이 거하시는 도성에
어찌 함께 지내겠습니까… 시골의 조용한
곳이 저에게 어울립니다.

How can I stay in the same place as Your
Majesty… I think the quiet countryside
would be a better place for me.

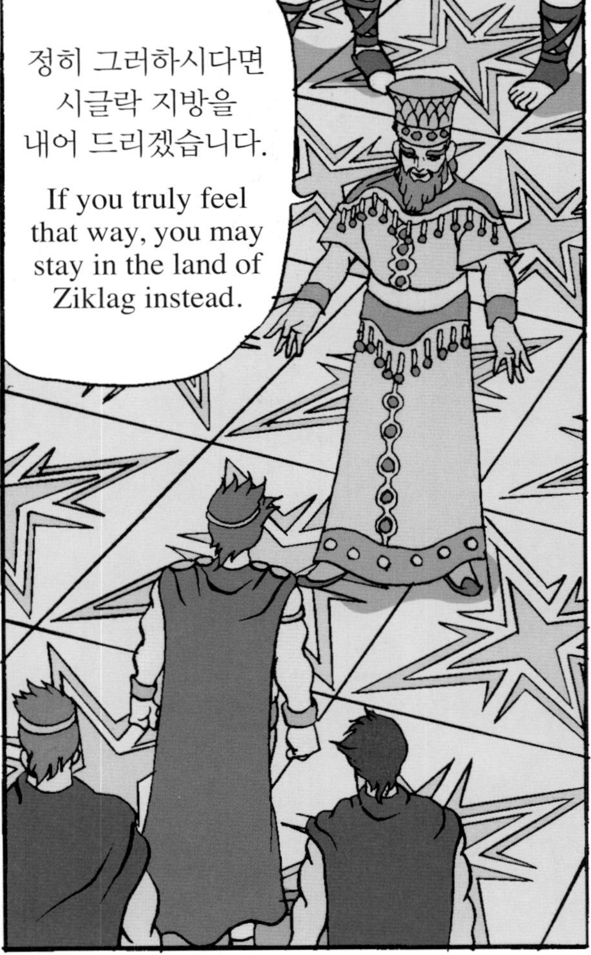

정히 그러하시다면
시글락 지방을
내어 드리겠습니다.
If you truly feel
that way, you may
stay in the land of
Ziklag instead.

다윗은 시글락 지방에 거하면서 때때로 그술족, 기르스족,
아말렉족 등 대대로 내려오던 이스라엘의 적들을 몰래 쳐부수었어요.

While David was living in Ziklag, time to time, he and his men would secretly raid the Gushurites, the Girzites, the Amalekites who were the enemies of Israel.

척들을 한 놈이라도 살려 둬선 안 된다.
아기스 왕이 아는 날에는
우리 입장이 매우 곤란하다.

Don’ t let a single enemy leave here alive. If any of these enemies make it to King Achish, we would be in a difficult situation.

염려 놓으십시오. 혹시
밀고하는 놈이라도 있을지 몰라
모조리 제거하고 있습니다.

Do not worry. We are destroying all of them so there willl not be anyone alive to tell.

잠깐만요!

Just a moment!

다음 문제의 답을 알고 계시나요?

Do you know the answer to this question?

6. 다윗은 사울 왕을 피해 어디로 망명하였나요?
Where did David escape to avoid King Saul?

답은 맨 뒷장에서 확인하세요.
The answer is found at the back of the book.

다윗의 요즘 행동이
이상한 것 같사옵니다.
David has been acting
strange lately.

뭣이…? 그건 또
무슨 소리냐?
What…?
What' s that
supposed to
mean?

가끔씩 부하들을 이끌고
비밀리 사라졌다가 돌아오곤
하는데 돌아올 때마다 소와
양이며 약대들의 숫자가
늘어만 가옵니다.

Sometimes, David
disappears with his followers
and when they return, they
have more cattle, sheep and
camels.

다윗이란 놈이 혹시 우리 동족들을
노략질하는 것은 아닐까?

Is David plundering from our people?

아무리 간 큰 놈이기로서니
설마 그럴 리야 있겠사옵니까?

He is not crazy…
I don' t think it is possible.

만약 그렇다면 다윗의 소행을 누군가가 보고를 했을 것이옵니다.
If that was the case, someone must have seen David doing such things and reported it.
혹시 모르니 다윗을 불러 속마음을 한번 떠보아야 하겠군…
I suppose we must call him here and ask him what he is doing.
아기스 왕이 느닷없이 나를 부르다니… 무슨 속셈일까?
King Achish called me all of a sudden… I wonder what he wants.
푸르르릉.
Brrgh

아기스 왕이 다윗을 불러 연회를 베풀면서 슬며시 속마음을 저울질해 보았어요.

King Achish arranged a banquet for David so he could cleverly figure out what David was up to.

장군께서 요즘 가끔씩 부하들을 데리고 비밀리에 이곳 저곳을 돌아다니신다는 좋지 않은 소문이 있습니다.
I have heard some bad news that you and your men sometimes travel here and there secretly.

다윗은 아기스 왕의 마음을 짐작하였던 터라 태연히 둘러대었어요.

David figured out what King Achish was thinking, so he began to explain, calmly.

예! 원수 놈의 나라 이스라엘의 구석진 마을들을 가끔 털어 오곤 합니다.
Yes! Occasionally I loot the remote areas of Israel, my enemy.

그렇잖아도 보고드리려 하던 참이었는데 이미 다 알고 계셨군요.
I was going to tell you, but you already know.

아기스 왕은 다윗의 말을 듣고는
회심의 미소를 지었어요.

When King Achish heard this from David, he had a complacent smile of satisfaction

크흐흐흣…
다윗이 제 동족 이스라엘에게 미움받을
짓을 스스로 하고 있다니…
Khhhh…
David is willingly doing things that
make his own people hate him…

이제는 완전히 나의 종이 되었구나…
크흐흐흐흣…

He has become my servant completely now… Khhhh…

아니!
그게 정말이옵니까?
Wait!
Is that really true?
다윗이 제 백성을 치다니,
이젠 아주 대왕님의
충견이 되었사옵니다.
크하하하…
Now that David is
attacking his own people,
he really is the King' s
faithful dog! Kya ha ha…

자! 마음껏 마셔라.
Men! Drink up.
아무렴! 아주 용맹하고 믿음직한 부하 하나를 얻었으니 이제 골머리 앓던 이스라엘도 내 것이로다. 카하하하하하핫!
Now I' ve got a man who is fearless and trustworthy, Israel which has been a pain, will be mine. Kya ha ha ha!
아기스 대왕 만세!
Long live King Achish!
대왕 만세 만세!
Long live the King, Hurray!

이 기회에 아주 이스라엘을
집어 삼켜야겠다.

Now is our chance
to beat Israel,
once and for all!

천하의 사울도 이젠 맥을
못 추는 것 같으니 한번
밀어붙여 본때를
보여줘야겠다. 어떻게
생각하느냐?

It seems like Saul is
weakened away.
Now is the time to show
them what we are made of.
What do you think?

우리가 골리앗 장군을 잃고
크게 패한 이후로 절치부심, 이를 갈며
복수의 날을 기다려 왔사옵니다.

Since we suffered a great loss after
losing General Goliath in battle.
We' ve been waiting for a long time
for the day of vengeance
with gnashing our teeth···

명령만 내리신다면
잘 훈련된 용사들을 이끌고
하나님을 섬긴다고 우쭐대는 이스라엘을
아주 쑥밭으로 만들겠사옵니다.

By your command,
we will send our best warriors to the
land of Israel that boast of serving God,
and turn it into ruins.

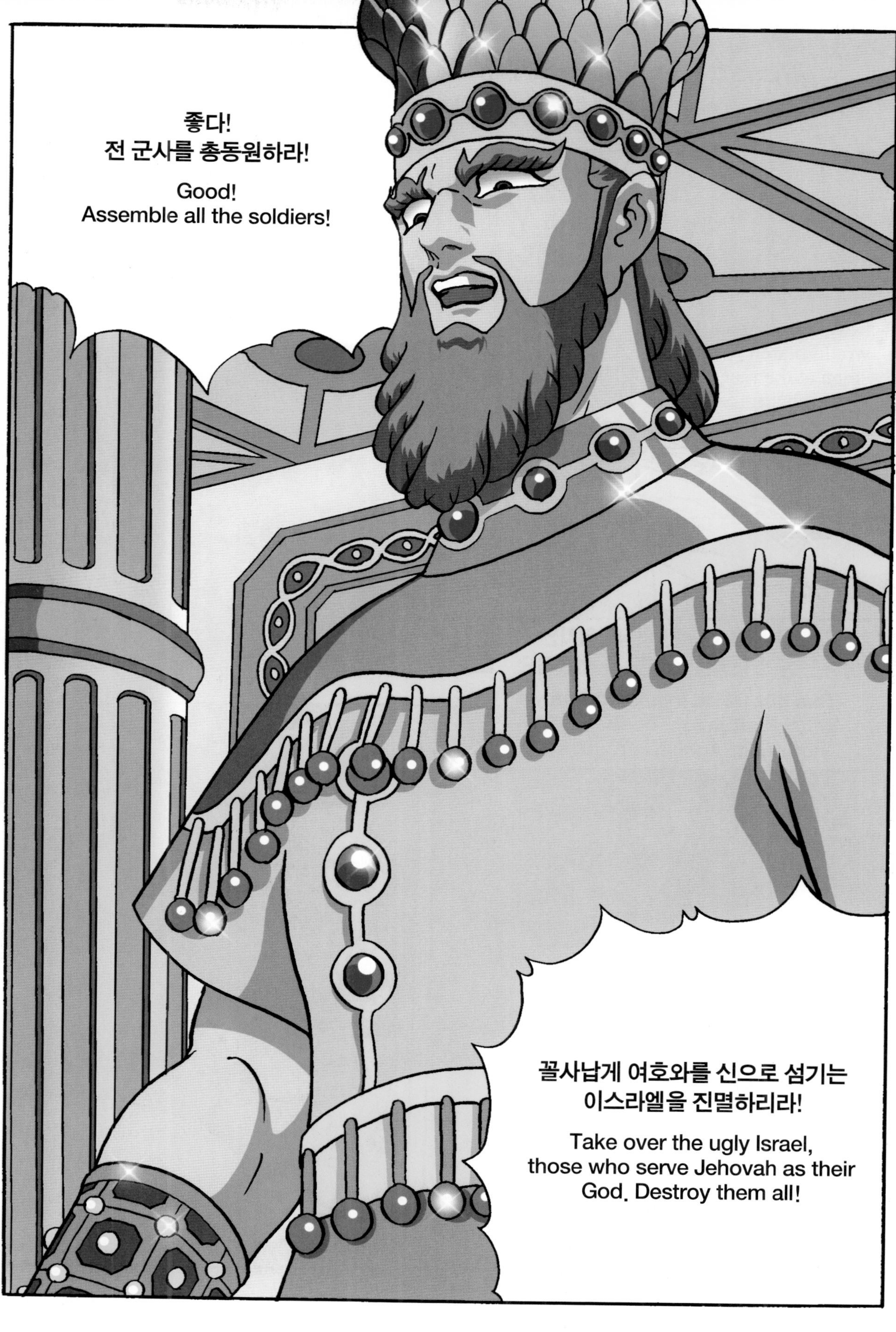
좋다!
전 군사를 총동원하라!
Good!
Assemble all the soldiers!
꼴사납게 여호와를 신으로 섬기는
이스라엘을 진멸하리라!
Take over the ugly Israel,
those who serve Jehovah as their
God. Destroy them all!

아기스 왕은 다윗에게 자기와 함께 이스라엘과의 전쟁에 참전할 것을 권유했어요.

King Achish asked David if he would like to join him in the war against Israel.

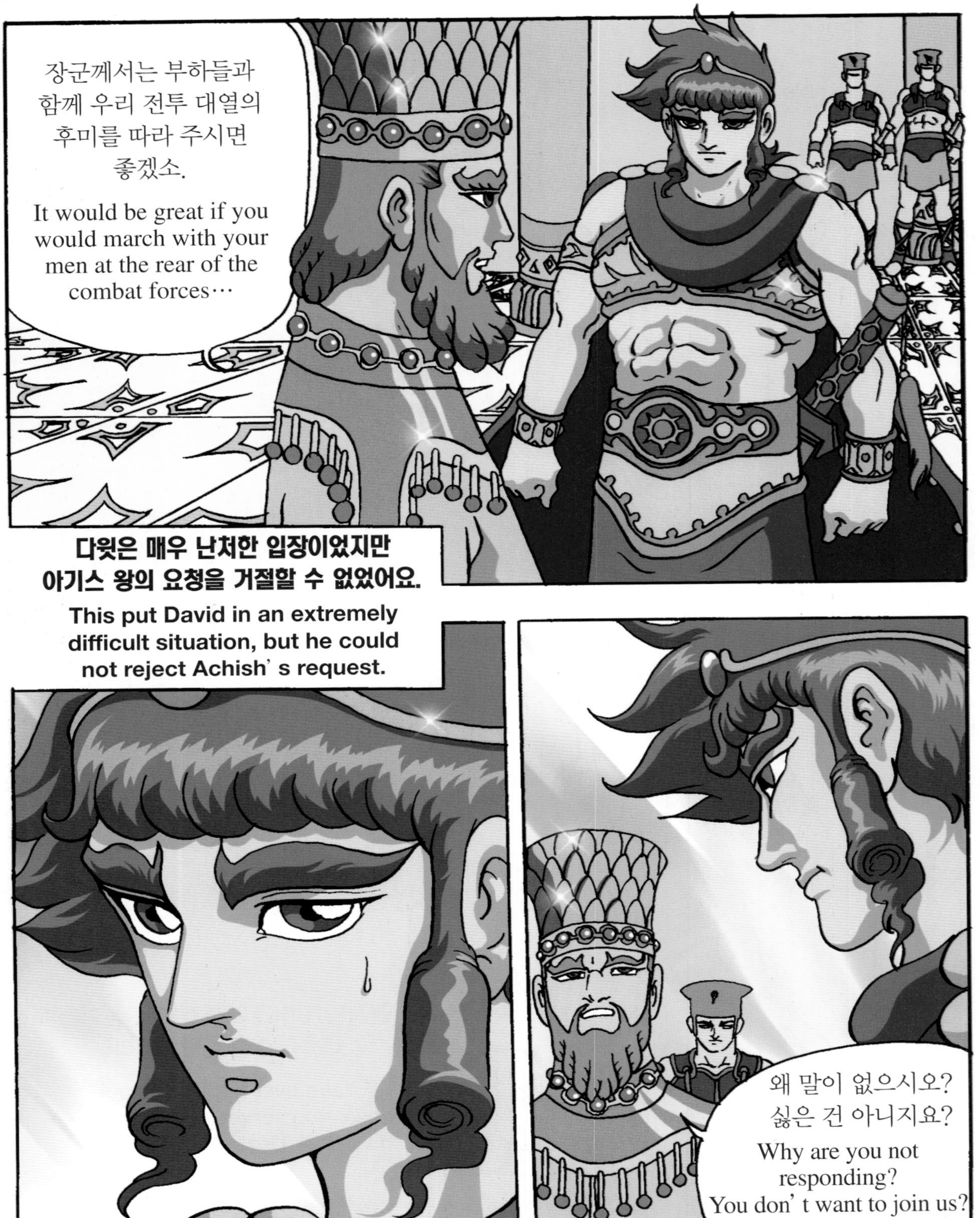

장군께서는 부하들과
함께 우리 전투 대열의
후미를 따라 주시면
좋겠소.

It would be great if you
would march with your
men at the rear of the
combat forces…

**다윗은 매우 난처한 입장이었지만
아기스 왕의 요청을 거절할 수 없었어요.**

**This put David in an extremely
difficult situation, but he could
not reject Achish' s request.**

왜 말이 없으시오?
싫은 건 아니지요?
Why are you not responding? You don' t want to join us?

다윗은 아기스 왕의 요청을
받아들이는 척하기로 했어요.
David made up his mind and pretended to
go along with King Achish' s request.
그럴 리가 있습니까. 분부대로 따르겠습니다.
There's no reason why I shouldn't
I will follow your order as you requested.

하하하… 나는 장군이 내 편이
될 줄 미리 알고 있었소.
Ha ha ha….
I knew that you would
take my side, General.
그대를 나의 종신 호위대장으로
삼을 생각이오.
I was thinking of making you my
chief bodyguard.

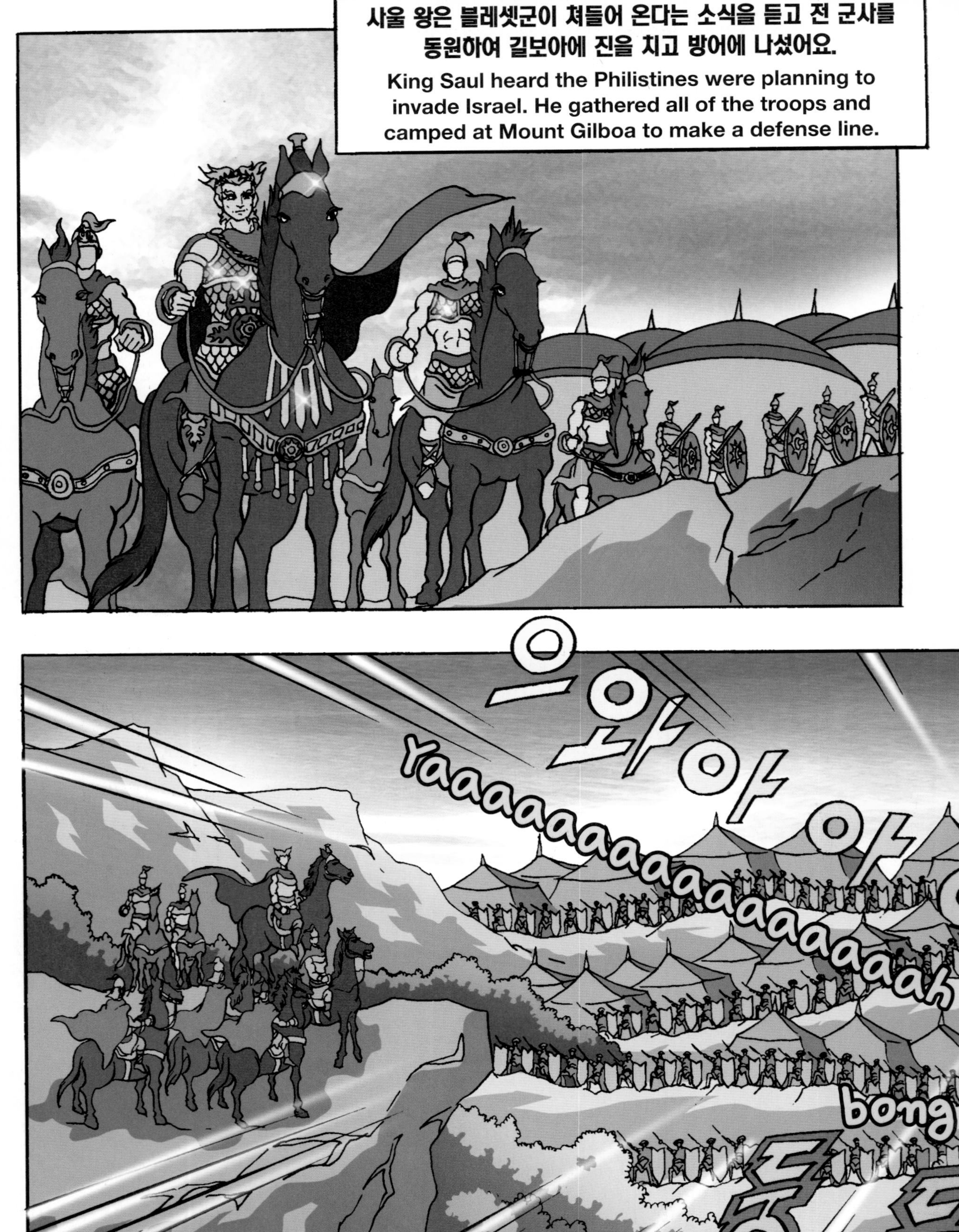
사울 왕은 블레셋군이 쳐들어 온다는 소식을 듣고 전 군사를
동원하여 길보아에 진을 치고 방어에 나섰어요.
King Saul heard the Philistines were planning to
invade Israel. He gathered all of the troops and
camped at Mount Gilboa to make a defense line.
으와아아
Yaaaaaaaaaaaaaaaaaah
bong
둥둥

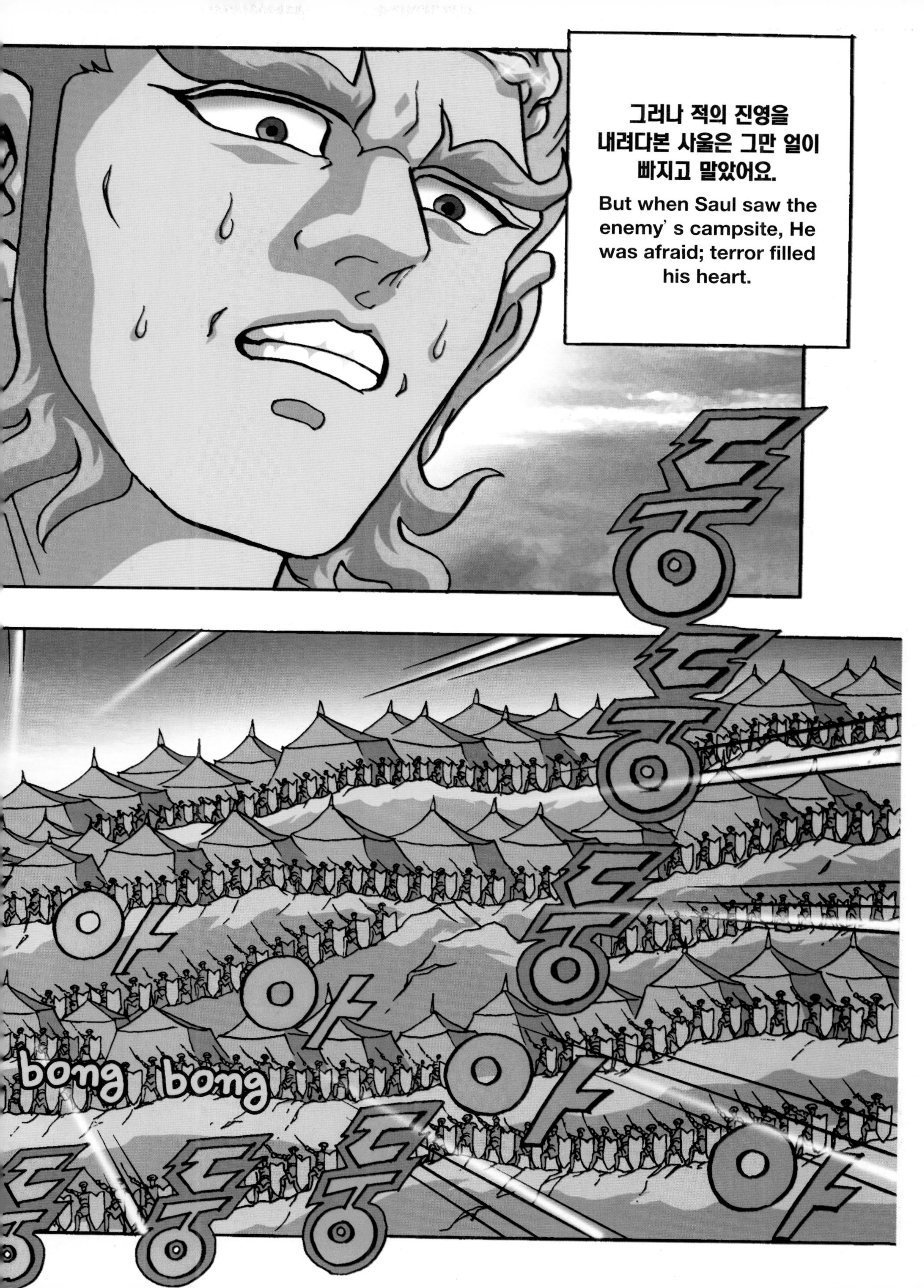
그러나 적의 진영을
내려다본 사울은 그만 얼이
빠지고 말았어요.
But when Saul saw the
enemy' s campsite, He
was afraid; terror filled
his heart.
둥둥둥
아아아아
bong bong
둥둥둥

사울 왕은 이 전쟁에 질지도 모른다는
불안감에 젖어 괴로워하였어요.
King Saul got into turmoil, fearing
he might lose this war.

Thud

하나님! 이 싸움을
저희가 이길 수 있겠습니까?
말씀해 주시옵소서.
Oh God!
Will we win this battle?
Please speak to me.

제발… 침묵하지 마시고
응답하시옵소서… 하나님…!

Please… do not ignore me,
please respond to my cry…
Oh Lord…!

사울 왕은 울부짖듯 부르짖었으나 하나님의 응답을 들을 수가 없어 더욱 답답하기만 했어요.

King Saul cried out to the Lord, but he did not hear from Him and started to get impatient.

어찌하면 좋단 말인가?
전쟁에 이길 자신은 없고…
하나님은 말씀이
없으시니…

What should I do?
I have no confidence to win
the war and there is no
word from God.

항복하자니 이 얼마나
수치스러운 일이냐!

How humiliating it
would be to surrender!

여봐라…
거기 누구 없느냐?
Hey… who' s
there?

왕이시여…
무슨 일이시옵니까?
Your Majesty…
Is anything wrong?

답답해서 미칠 지경이니 혼백을 불러 내는 무당을 찾아보아라.
I' m so anxious that I' ll go crazy. Find a medium that can talk to spirits.

혼백을 불러 내는 무당들은 사탄이 조정하는 자들이라서 그들을 찾는 것은 옳지 못한 일이란다.
People who communicate with spirits are controlled by Satan, and it is a serious sin to seek out such people.

사울 왕도 처음엔 그 악한 사람들을 대부분 잡아 죽였단다.
King Saul used to capture most of the mediums and put them to death.

그러나 무당들이 다 죽은 것은 아니었단다. 나사렛에서 30여 리 떨어진 엔돌의 굴 속에 숨어 사는 무당을 왕의 신하가 찾아 내었지.
But not all mediums were killed. The King' s attendants found one living in a cave in Endor, 12km away from Nazareth.

사울 왕은 남들이 알아보지 못하도록 백성이 입는 옷으로 갈아 입고
밤중에 두 신하를 데리고 그 무당을 찾아갔어요.

King Saul disguised himself as a commoner so that no one would recognize him. At night he and his two men went to the medium.

이 깊은 밤중에 대체
무슨 일로 오셨습니까?
What do you want
at this time of night?

한 가지
부탁할 것이
있어 왔네.
We have a request for you.

하잘것없는
저에게 무슨
부탁이 있습니까?
I am just a plain person. What request do you have?

나의 앞날이 궁금해서 미칠 지경이니
내가 말하는 혼백을 불러 내서
내 앞날을 한번 점쳐 주게!

I' m dying to know about my future. I was wondering if you could call a sprit that I name to tell me what will happen.

큰일 날 소릴 하시는군요.
당신은 무당이나 점쟁이들이 왕의
명령으로 이 땅에서 자취를
감춘 사실을 모르십니까?

You are looking for a trouble. Don' t you know what King ordered? He made all of the mediums and fortune tellers cut off, and they disappeared from this land.

왜 생사람을
잡으려고 제 목에
올가미를 씌우려
하십니까?
Why do you try to
trap me, you are
going to get me
killed?

너무 겁낼
것 없다.
Do not be
scared.

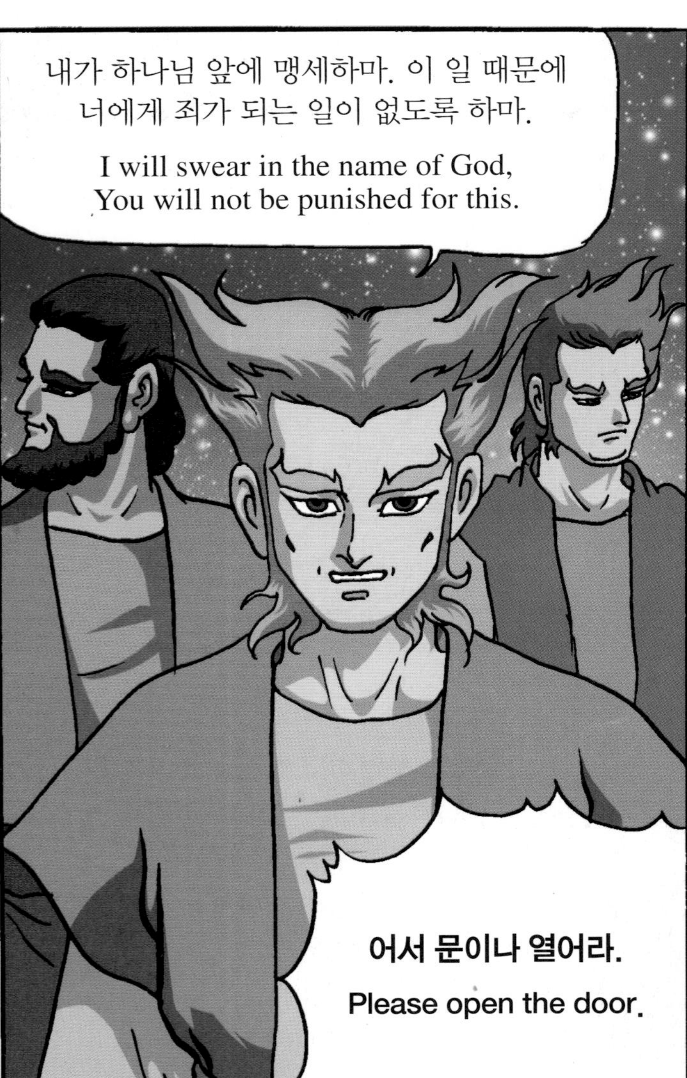

내가 하나님 앞에 맹세하마. 이 일 때문에
너에게 죄가 되는 일이 없도록 하마.
I will swear in the name of God,
You will not be punished for this.
어서 문이나 열어라.
Please open the door.

무당은 마지 못해 문을 열었어요.

Despite her misgivings, the medium opened the door.

. . . * * C C c ; ··· / /
l ··· = = \ \ \ / / / / =
W l l l m m , , , , . . .

i i . . . m
n b ~ \ \
i 3 % &
& * * &

누구를 불러 올릴까요?
Whom shall I summon?

선지자 사무엘을
불러 올려라.
Samuel, the Prophet.

에그머니나!
사무엘 선지자를
찾으시다니…
Oh no!
You are seeking
Prophet
Samuel…

어찌하여 저를
속이시옵니까?
이제 보니 당신은
사울 왕이 분명하옵니다.

Why have you
deceived me?
You are King Saul,
no doubt!

두려워하지 말고 무엇이
보이는지 말만 하여라.

Don’ t be afraid and just
tell me what you see.

지금 지하에서
혼령이 올라오고
있사옵니다.
There is a sprit coming up out of the ground.

어떠한 모습을 하고 있느냐?
What does he look like?

도포를 입은 노인이 올라오고 있사옵니다.
An old man wearing a robe is coming up.

1. 다윗은 누구와 결혼했나요?
   Whom did David marry?

   답: 미갈 – Michal

2. 다윗은 누구와 의형제를 맺었나요?
   Who was David's sworn brother?

   답: 요나단 – Jonathan

3. 다윗은 아히말렉 제사장에게 몇 덩어리의 떡을 부탁하였나요?
   How many loaves of bread did David ask Priest Ahimelech?

   답: 다섯 덩어리 – five loaves

4. 아히멜렉 제사장은 다윗에게 누구의 칼을 주었나요?
   Whose sword did Priest Ahimelech give to David?

   답: 골리앗 – Goliath

5. 사울 왕의 명령을 받고 제사장들을 학살한 사람은 누구인가요?
   Who slaughtered the priests under King Saul's order?

   답: 도엑 – Doeg

6. 다윗은 사울 왕을 피해 어디로 망명하였나요?
   Where did David escape to avoid King Saul?

   답: 블레셋 – the land of Philistine

만화로 만나는 성경 속 인물
A comic book that introduces Biblical characters

King David II

인쇄일	2004년 2월 5일 초판 1쇄
발행일	2004년 3월 30일 초판 2쇄
발행인	황은미
발행처	MarGaret 마가렛 출판사
홈페이지	www.margaretbook.com
등 록	2003년 10월 28일(No. 2003-517)
주 소	경기도 고양시 일산구 장항동 849 동양메이저타워 405호
글구성 · 그림	은부밀
채 색	이응석
터 치	이창목
감 수	박신일
번 역	앤킴, Walter Scheuer, 김혜숙
편집 · 디자인	디아젠 ☎2265-5777
마케팅	엄영기, 이은숙, 이영심, 황은숙
전 화	☎031-908-5002
Canada	☎1-604-517-8881
Italy	☎39-347-060-5362
FAX	☎031-904-4007

ISBN 89-954776-2-8 47230
ISBN 89-954776-0-1 47230(세트)

값 9,900원